24 heures à l'urgence

Du même auteur

Survivre à la leucémie,
  Montréal, Éditions Québec Amérique, 1997.

Dr Robert Patenaude

24 *heures* à l'urgence

ÉDITIONS QUÉBEC AMÉRIQUE

329, rue de la Commune O., 3ᵉ étage, Montréal (Québec) H2Y 2E1 (514) 499-3000

Données de catalogage avant publication (Canada)

Patenaude, Robert, 1957-

    24 heures à l'urgence

    ISBN 2-89037-994-9

    1. Urgences médicales, Services des - Québec (Province).
    2. Hôpitaux - Québec (Province) - Services des urgences.
    3. Santé, Services de - Québec (Province). 4. Soins médicaux -
    Québec (Province). I. Titre. II. Titre : Vingt-quatre heures à l'urgence.

RA645.7.C3P37 1999   362.18'09714   C99-941601-4

Les Éditions Québec Amérique bénéficient du programme de subvention globale
du Conseil des Arts du Canada et elles tiennent également à remercier la SODEC
pour son appui financier.

Le Conseil des Arts | The Canada Council
du Canada | for the Arts

Québec

Nous reconnaissons l'aide financière du gouvernement du Canada par l'entremise du Programme d'aide au développement de l'industrie à l'édition (PADIÉ) pour nos activités d'édition.

Dépôt légal : 4ᵉ trimestre 1999
Bibliothèque nationale du Québec
Bibliothèque nationale du Canada

Mise en pages : Édiscript enr.

Je dédie ce livre à ceux et celles qui foncent dans la vie, à ma famille, à mes amis, à mes consœurs et confrères du domaine de la santé, qui gardent toujours une place pour le sourire dans leur vie et dans celle de leurs malades, même aux moments les plus difficiles.

Remerciements

Je désire remercier les personnes suivantes :

Ma mère Jeanine, ma sœur Line, mes nièces Amélie et Emanuelle, qui m'ont toujours encouragé.

Mireille et Jacques Croteau, de l'imprimerie Invitation Belœil.

L'équipe des Éditions Québec Amérique : mon éditeur, Normand de Bellefeuille, qui fonce et garde le sourire ; Diane Martin et Michèle Marineau, pour la correction des textes ; Michel Joubert, pour la conception et le débrouillage informatique ; Jacques Fortin, président de Québec Amérique, qui a toujours cru en mes projets ; Chantal Vendittoli et Jocelyne Morissette, avec qui ce projet a commencé en 1998. Pascale Lafrenière pour la relecture finale.

Pour leur aide scientifique et médicale :

D^{re} Dominique Croteau

D^{re} Nathalie Beauchemin

D^{re} Chantal Morissette

Mme Michèle Lambin

Pour leur acharnement et leur esprit visionnaire :

Dr Claude Perreault et l'équipe d'hématologie.

Je recommande fortement les publications et les revues suivantes, où j'ai puisé de l'information très pertinente sur le suicide chez les jeunes :

Éditions Prisme (Psychiatrie, recherche, intervention en santé mentale de l'enfant)
« Adolescents en danger de suicide », automne 1995;
« École et santé mentale », automne 1997.
Hôpital Sainte-Justine (publications)
3175, chemin de la Côte-Sainte-Catherine
Montréal (Québec)
H3T 1C5
(514) 345-4671

Revue Notre-Dame (RND)
« La dépression chez les adolescents », février 1995;
« Le suicide chez les jeunes », juin 1997.
2215, rue Marie-Victorin
Sillery (Québec)
G1T 1J6
(418) 681-3581

Prologue

La soupe aux étoiles

Un souvenir pour ma sœur Diane, décédée il y a quelques années déjà:

« Cette nuit, je me trouve au milieu de l'Atlantique Nord; seul sur cette étendue d'eau noire, couché dans le cockpit de mon voilier, je regarde le ciel. Le rendez-vous avec la lune n'aura lieu que dans deux heures. Le temps est frais et sec, et le firmament m'offre son plus beau spectacle sur une scène de cent quatre-vingts degrés, comme une espèce de grande marmite renversée.

« Les étoiles valsent au rythme des vagues; des satellites, comme des enfants, se cachent dans l'ombre de leurs planètes mères. Étoiles, satellites, planètes sont des millions à cohabiter dans des pays nommés constellations et galaxies.

« D'autres vivent en petites familles dans des villages; certaines étoiles quittent la famille et partent en voyage entre les galaxies. Parfois, elles viennent mourir dans les hautes couches de l'atmosphère, où elles ne laissent qu'une traînée incandescente.

« Ce qui est très mystérieux, c'est que ce que l'on voit d'elles n'est que le reflet de leur vie éteinte il y a des milliers d'années; ces reflets lointains voyagent dans le ciel depuis la nuit des temps, comme des trains à la vitesse de la lumière, transportant leurs souvenirs et peut-être quelques âmes immortelles, comme la tienne, chère Diane.

« Quand j'étais petit, mon père me disait que la nuit venait parce que le bon Dieu recouvrait le ciel ensoleillé d'un immense papier d'aluminium et qu'il le perçait avec une aiguille pour former les étoiles; à quatre ans, cela me semblait très logique.

« Aujourd'hui, je regarde la nuit et je sais que ce ciel ressemble un peu à la vie : c'est une soupe qui valse à l'envers dans son bol céleste. Dans cette soupe, il y a une étoile pour chacun d'entre nous; tous, nous sommes des petites nouilles liées les unes aux autres et nous nageons ensemble dans ce bouillon en y formant un bien curieux mélange.

« Une soupe qui parfois me laisse perplexe mais qui, le plus souvent, m'émerveille. »

C'était un 9 juin, à une heure du matin, pendant une course de voilier en solitaire dans l'Atlantique Nord. Une grosse vague venue de nulle part emporta le voilier et me fit sursauter. « Eh! Oh! me dis-je, qu'est-ce qui se passe? » Je me sortis rapidement de mes réflexions sur la soupe aux étoiles afin de reprendre le contrôle manuel du bateau. La grosse vague me fit surfer sur son dos pendant plusieurs secondes, puis le calme revint pour le reste de la nuit.

« Bizarre, cette vague solitaire », me dis-je. Mais en mer, il se passe parfois de drôles de phénomènes, tous les navigateurs vous le diront.

C'est cette nuit-là, à 39° 50' de latitude Nord et à 69° 30' de longitude Ouest, pendant que je songeais à la soupe aux étoiles, qu'est née l'idée du présent ouvrage.

Introduction

L'une des raisons pour lesquelles j'ai décidé d'écrire ce livre, c'est que j'ai une foi profonde dans les bases de notre système de santé. S'il m'est facile de croire autant à ce système, c'est que sans lui je ne serais pas vivant aujourd'hui pour vous en parler. En effet, lorsque j'étais étudiant en deuxième année de médecine, on a diagnostiqué chez moi une leucémie incurable, qui ne m'accordait que quelques mois d'espérance de vie.

Ma famille étant issue d'un milieu très modeste, elle ne pouvait me payer de coûteux traitements aux États-Unis. Quant à moi, j'avais quitté la résidence familiale depuis plusieurs années et je vivais avec un budget annuel d'environ trois mille dollars; j'habitais avec deux amis un petit appartement situé près de l'université.

À ce moment, en 1980, des chercheurs et des médecins du Québec croyaient pouvoir guérir la leucémie grâce à une nouvelle opération nommée « greffe de moelle osseuse ».

Cette opération délicate, compliquée et coûteuse était pratiquée expérimentalement aux États-Unis, mais seuls les malades fortunés pouvaient y avoir recours.

Nos médecins visionnaires entreprirent de lutter afin de pouvoir offrir cette opération aux malades du Canada. Les réunions se multiplièrent avec les hauts fonctionnaires du ministère de la Santé, qui doutaient de la pertinence d'investir tant d'argent dans un traitement expérimental qui ne sauverait au bout du compte que quelques leucémiques par année. Il est vrai qu'à l'époque les coûts d'une greffe étaient d'environ 120 000 $ et le taux de survie n'était que de vingt-cinq à trente pour cent. La bataille pour rendre accessible la greffe de moelle osseuse fut difficile, mais elle fut très médiatisée. Des malades en phase avancée déclarèrent sur la place publique : « Sans la greffe, nous allons mourir. » (De fait, quelques mois plus tard, on annonçait leur décès.)

Devant les pressions publiques, le Ministère finit par débloquer des crédits spéciaux pour pratiquer quelques interventions. Pour les premières greffes, les médecins et chercheurs mirent leur tête sur le billot, car ils devaient pratiquer et réussir les délicates opérations avec un budget très restreint. Les malades, les familles et la population entière étaient bien sûr avides de résultats positifs, mais les hauts fonctionnaires n'auraient sans doute pas hésité à mettre fin à ce timide programme de greffe si les résultats avaient été négatifs.

Je fus l'un des premiers « cobayes » à recevoir ce traitement de choc combinant chimiothérapie, radiothérapie et greffe de moelle osseuse, don de ma sœur Diane.

Aujourd'hui, c'est grâce à la ténacité de ces chercheurs et médecins si la greffe de moelle osseuse s'avère l'une des plus belles réussites de la médecine moderne : nos centres de greffe sont parmi les plus réputés du monde, le taux de survie dépasse maintenant soixante-dix pour cent, et le temps d'hospitalisation ainsi que les coûts ont diminué de plus de cinquante pour cent.

Quant à moi, dix-huit ans plus tard, j'ai gagné la bataille contre la leucémie, je pratique la médecine d'urgence et, lorsque je ne suis pas à l'hôpital ou en train d'écrire un livre, je savoure la vie tout en cherchant à atteindre un sommet perdu dans les nuages ou une île qui s'éveille dans la brume à l'autre bout du monde.

À l'aube du vingt et unième siècle, je suis très inquiet quant à l'avenir de notre système de santé. Les politiciens le tiraillent de tous les côtés, la population le critique sans cesse, les médias ne lui laissent aucun répit; à croire qu'il n'a que des défauts, le pauvre. Certains veulent le privatiser: « Regardez la haute technologie qu'ils ont aux États-Unis », disent-ils en oubliant les quarante-cinq millions d'Américains qui ne peuvent avoir accès à des services de santé adéquats.

Certains fonctionnaires aimeraient le contraindre davantage. « L'avenir, c'est la prévention et les traitements à la maison », déclarent-ils. Oui, une partie de la médecine de l'avenir passe par la prévention et les traitements à la maison, à condition que le patient soit peu anxieux et plutôt instruit, qu'il comprenne ce qui lui arrive et qu'il reçoive un bon soutien de sa famille, du CLSC ou de l'hôpital. La réalité est souvent différente, surtout pour les gens âgés. Trop fréquemment, le virage ambulatoire a pour conséquences des complications et un retour dans les corridors des urgences.

Par ailleurs, les mêmes fonctionnaires seront parfois les premiers à consulter un ami médecin qui leur accordera un passe-droit pour contourner les longues listes d'attente des chirurgies non urgentes ou éviter les corridors encombrés des urgences. Ces attitudes évoquent malheureusement à mes yeux un dérapage inquiétant vers une médecine d'influence.

Dans ce livre, je vais vous raconter des histoires que j'ai vécues pendant mes douze années de pratique de la médecine au service des urgences; je vais vous livrer mes impressions et mes commentaires sur certaines situations: j'irai même jusqu'à suggérer des solutions pour résoudre des problèmes. Je sais déjà que d'aucuns seront contrariés et irrités par mes positions sur des sujets tels que le suicide chez les adolescents, les accouchements à la maison, l'homéopathie ou notre propre responsabilité dans la consommation des soins de santé, mais je crois qu'il est primordial de créer un débat et d'échanger des idées (par définition « discutables ») pour sauver notre système de santé, car celui-ci pourrait constituer, à mon avis, notre plus belle réussite collective.

Nous verrons ensemble les changements qu'ont apportés le virage ambulatoire et sa bureaucratie, qui pèse de plus en plus lourd sur le dos des travailleurs et travailleuses de la santé et qui, si on la laisse s'amplifier, écrasera littéralement la colonne vertébrale de tout le système en question.

Le service des urgences d'un hôpital est sûrement le meilleur baromètre pour évaluer les problèmes sociaux et médicaux qui affectent une société.

Vingt-quatre heures par jour, trois cent soixante-cinq jours par année, l'urgence accueille les personnes maltraitées, violées, démunies, de notre société, et celles qui souffrent de problèmes de santé allant de la crise d'hyperventilation — toujours très spectaculaire mais inoffensive — jusqu'à la crise cardiaque — beaucoup moins frappante mais qui peut être mortelle.

J'aime observer les gens et j'aime raconter des histoires. Pendant toutes mes années de pratique au service des urgences et aux soins intensifs, j'ai pris quotidiennement des notes sur des cas vécus qui m'ont particulièrement ému, pas uniquement par leur caractère dramatique mais aussi par la démonstration qu'ils faisaient des forces et des faiblesses qui se cachent à l'intérieur de chacun d'entre nous et qui s'expriment plus spécialement au cours de situations de crise.

Un grand nombre des personnes vivant des drames — comme les adolescents qui tentent de se suicider, les enfants battus, drogués et maltraités, les malades mentaux et les gens âgés abandonnés dans des résidences insalubres — aboutissent dans les corridors de nos urgences. J'ai décidé de vous ouvrir les portes sur mes douze années à l'urgence, non pas pour dramatiser ma profession, mais pour que, après avoir lu ce livre, vous ayez un regard plus critique sur notre société, sur les valeurs que nous voulons transmettre et sur celles que nous devrions abandonner.

Je ne vous exposerai ni études comparatives ni rapports scientifiques qui ne feraient que vous étourdir avec leurs guerres de chiffres. Je ne suis pas habile, comme soldat, à me défendre contre une telle attaque comptable massive, je préfère me trouver sur le champ de bataille; on nous appelle d'ailleurs « les médecins de première ligne », et j'aime bien cette expression très évocatrice. Je vous décrirai plutôt la réalité des humains que je côtoie chaque jour, en vous faisant part de mes commentaires et de mes critiques, sans toutefois prétendre posséder des solutions miracles à ces problèmes complexes.

Une précision avant de continuer : tous les faits rapportés dans les chapitres suivants sont des cas vécus, qui exigent la plus grande confidentialité; aussi ai-je pris soin de modifier les noms et parfois le sexe des intervenants. De plus, aucun de ces cas n'est survenu à l'hôpital où je pratique présentement.

Chapitre 1

Derrière le rideau

Après ces douze années, je me demande parfois ce qui me pousse à faire ce travail; généralement, après cette période, la majorité des médecins travaillant au service des urgences se dirigent vers une pratique où le stress et les horaires de travail sont plus acceptables. Pour ma part, je ne sais pourquoi, l'urgence demeure une espèce de drogue à laquelle je ne peux me soustraire.

Cette nuit, je pourrais être dans un lit moelleux, bien au chaud, glissé sous des draps azurés près d'une femme endormie. Mon cerveau serait au repos, grisé par les parfums délicats de ma compagne, mes lèvres caresseraient tendrement son cou, ses épaules et le contour de sa bouche pour aller chatouiller un lobe d'oreille jusqu'à ce qu'elle soupire, se retourne et gémisse.

Elle ouvrirait les yeux et marmonnerait quelques mots dans un jargon incompréhensible, puis ses bras enlaceraient mes épaules. Nous serions emportés par d'imperceptibles mouvements, tels des voiliers ancrés dans une baie tranquille où viennent s'évanouir les vagues de la mer.

Mais ma nuit est tout autre! Je suis de garde au service des urgences d'un hôpital depuis bientôt dix heures;

normalement, j'aurais dû commencer ma garde à minuit, mais hier le médecin en service, le docteur Dubuc, souffrait d'une sévère gastroentérite et, pour le dépanner, je suis arrivé plus tôt. D'ailleurs, vu son état de déshydratation, je l'ai obligé à se coucher sur une civière avec un soluté intraveineux et des médicaments pour la nuit.

Il est bientôt six heures. Je croyais pouvoir profiter d'une période d'accalmie pour me reposer un peu, mais non; il y a trois minutes, nous avons reçu un appel sur la ligne reliant directement les ambulanciers à nos services. Ils nous annonçaient un code 99 : une jeune femme qui a eu un traumatisme majeur lors d'un accident d'auto. Inconsciente et avec une tension artérielle critique, elle serait en état de choc cardiovasculaire.

L'ambulance sera ici dans cinq ou six minutes. Pendant ce temps, tout le personnel de nuit — infirmières, inhalothérapeute et préposés — s'affaire à la préparation de la salle de réanimation en vue de l'arrivée du « code », terme qui, dans notre jargon, désigne un malade à l'article de la mort.

J'ai juste le temps de prendre un café provenant de la distributrice; un café au goût chimique, amer mais très efficace contre le sommeil; la boisson, qui évoque la chimiothérapie, est trop sucrée, comme d'habitude, et en plus elle me donne des brûlures d'estomac. Les distributrices devraient offrir un cachet antiacide pour accompagner le café; je suis persuadé que des compagnies pharmaceutiques seraient heureuses de faire la promotion de leurs produits gratuitement… comme souvent d'ailleurs.

Appuyé au cadre de la porte de garage de l'urgence, je regarde l'aurore qui perce l'humidité de la nuit et éteint les étoiles une à une.

La ville semble endormie, pourtant une ville, ça ne dort jamais. Il s'y cache toujours un drame qui guette ses habitants; sous ses toits, sous et sur ses ponts, dans le métro, dans ses ruelles et ses rues, aux intersections, même dans l'eau calme de la piscine derrière une maison, les tragédies n'attendent que le feu vert du destin pour frapper.

J'entends le hurlement de la sirène au loin; en même temps, un courant d'air m'apporte un mélange d'odeurs provenant d'un petit carré de gazon fraîchement coupé et d'un pin qui survit désespérément à la croissance anarchique du stationnement.

L'ambulance tourne le coin de la rue et entre à vive allure dans le garage; le moteur surchauffé dégage une odeur d'huile et de caoutchouc brûlé.

Lorsque les portes s'ouvrent, une décharge d'adrénaline envahit mes artères. Une jeune femme lutte contre la mort; un policier lui donne la respiration artificielle pendant que l'un des ambulanciers comprime son thorax, manœuvres qui permettent de pomper un minimum de sang dans les artères et de garder une personne en vie quelques minutes en diminuant les lésions au cerveau causées par le manque d'oxygène.

Rapidement, nous transférons la patiente dans la salle de réanimation; véritable essaim d'abeilles autour d'une ruche, le personnel s'affaire aux manœuvres habituelles.

Cette jeune femme se prénomme Julie; âgée de vingt-sept ans et mère de deux enfants, elle se rendait en auto à son travail lorsqu'un camion l'a heurtée de plein fouet du côté conducteur : le choc a été très violent, elle a perdu conscience quelques minutes après l'impact.

L'examen sommaire révèle une jeune femme très mal en point, qui ne respire pas par elle-même et dont le teint est bleuté; on lui a installé un collier cervical rigide pour prévenir une rupture de la moelle épinière au cas où elle aurait une fracture de la colonne cervicale. L'auscultation démontre une mauvaise entrée d'air dans le poumon gauche, et la trachée est déviée vers la droite, signe évident d'un pneumothorax sous tension, c'est-à-dire d'une perforation du poumon gauche qui permet à l'air de s'emmagasiner sous tension entre le thorax et le poumon, empêchant ainsi le mouvement normal de la respiration; plusieurs côtes semblent fracturées de ce côté.

Les pertes sanguines sont importantes et viennent principalement de son cuir chevelu : un gros lambeau de chair pend à l'arrière de son crâne dénudé. Son fémur gauche et son bassin semblent instables à l'examen; j'en déduis qu'elle a probablement de multiples fractures majeures. Sur le plan neurologique, elle est en état de coma profond. Il faut agir rapidement, sinon elle mourra dans les minutes qui viennent.

Deux minutes se sont écoulées depuis son arrivée. Pendant ce court laps de temps, j'ai décelé les principales lésions de la jeune femme, les infirmières l'ont déshabillée, et deux accès veineux ont été installés avec des cathéters de gros calibre, ce qui permet l'apport de solutés et de transfusions à des débits très rapides. Nous sommes prêts pour l'intubation.

— Nous allons l'intuber avec un tube de grosseur numéro 7,5; il faudra soutenir sa colonne cervicale pendant la manœuvre.

Il faut toujours penser à une fracture de la colonne vertébrale dans les cas d'accidentés graves, car le moindre mouvement qui désaxerait la colonne peut mener à une quadriplégie permanente.

— Avons-nous une tension artérielle? Préparez une seringue de Versed 2,5 mg et une de Fentanyl 50 mg; et donnez les intraveineuses en bolus. Préparez aussi six culots sanguins O négatif et un plateau de drainage thoracique.

Une infirmière intervient :

— Docteur, la pression est à 50 sur 0, le pouls à 160 filant.

— OK. Passez des solutés de lactate Ringer à haut débit et réchauffez-les; dès que le sang arrive, transfusez deux culots sous pression.

L'inhalothérapeute me demande :

— Docteur, vous voulez intuber avec une lame courbe ou droite?

Une voix s'élève dans la salle :

— Versed et Fentanyl donnés.

Puis une autre voix :

— Docteur, la pression est toujours basse.

— On continue le massage, je prends une lame courbe.

— Docteur, la Sûreté municipale veut connaître l'identité de la victime et savoir si elle est vivante.

Toute la scène défile très vite dans ma tête. Nous n'avons que quelques minutes encore pour sauver cette jeune mère de famille, il n'y a aucune place pour l'erreur. Tout à coup, la fatigue a disparu ; je rassemble mes idées, qui défilent à la vitesse de l'éclair, je me concentre sur l'algorithme appris au cours de mes études de réanimation en traumatologie et si simplement exprimé sur le papier : ABC. A pour « airways » ou voies respiratoires : oui, elles sont dégagées, rien n'obstrue le passage de l'air vers les poumons. B pour « breathing », la respiration : ici, ça va très mal, la respiration est laborieuse à gauche et plusieurs côtes semblent cassées, signe d'un pneumothorax sous tension. Et C pour circulation sanguine : ici aussi ça va mal, la pression sanguine est imperceptible, une dissection aortique peut causer cette chute de tension.

De nouveau une voix s'élève :

— Docteur, la pression ne remonte toujours pas.

— Donnez-moi un gros cathéter numéro 14 et de la Bétadine.

Une infirmière me tend le cathéter et une compresse imbibée de désinfectant. Je plante le petit tube métallique de cinq centimètres de long entre la deuxième et la troisième côte ; immédiatement, l'air s'échappe par l'orifice du tube en émettant un bruit semblable à celui d'un pneu percé.

Une infirmière déclare :

— La pression a remonté à 90 sur 40, docteur.

La pression a remonté, c'est bon signe.

— OK, dis-je, on cesse le massage.

L'ambulancier qui avait pris la relève du policier pour le massage esquisse un sourire et laisse échapper un ouf quasi imperceptible !

— Il faut l'intuber maintenant.

L'inhalothérapeute exerce une traction ferme sur la tête. De la main gauche, je tiens le laryngoscope, de la droite je déplace délicatement la langue vers la gauche. Un juron m'échappe; il y a trop de sang, je ne peux pas voir l'épiglotte ni les cordes vocales.

— C'est plein de sang dans l'arrière-gorge, dis-je. Vite, un appareil de succion!

Tout en maintenant la position du laryngoscope, j'aspire au moyen de l'appareil de succion le sang qui semble provenir de l'œsophage; cela fait un bruit semblable à un évier qui se vide. J'aperçois les cordes vocales un très bref moment, le temps de pousser le tube endotrachéal dans la trachée. On y fixe le tube avec du ruban adhésif, ce qui me permet d'ausculter les poumons; l'air parvient toujours mal du côté gauche.

— Est-ce que le plateau de drainage thoracique est prêt? Il me faut aussi 20 cc de xylocaïne à 2 %. Pouvez-vous nettoyer et recouvrir toutes les plaies avec des compresses imbibées de solution physiologique? Donnez-lui aussi un toxoïde 0,5 cc intramusculaire et une dose d'Ancef 1,5 g intraveineux.

Ces deux médicaments protègent contre les infections qui pourraient attaquer les plaies et les fractures ouvertes.

Pendant que j'enfile une blouse chirurgicale et que je remplace mes gants stériles, je me remémore la technique d'installation du drain thoracique. Du côté gauche du thorax, je dois introduire ce gros tube de plastique — qui a près d'un centimètre de diamètre et vingt centimètres de longueur — entre la cinquième et la sixième côte, en passant près du bord supérieur de la cinquième côte, car près du bord inférieur passent les artères intercostales, et une lésion à ces artères serait néfaste. Par ailleurs, le drain ne doit pas être installé trop près de l'abdomen, car il pourrait perforer le diaphragme (muscle servant à la respiration) ou la rate, ce qui entraînerait une grave hémorragie interne tout aussi fatale. Sans compter le cœur, qui se trouve à environ dix centimètres de profondeur; je n'ose pas penser à ce qui arriverait advenant la perforation de cet organe.

Pendant que je badigeonne le thorax de la jeune femme avec de la Bétadine, je me souviens de mes stages en chirurgie lorsque j'étais interne, il y a bien une douzaine d'années de cela. Le professeur, chirurgien en chef d'un grand hôpital universitaire, était un homme très sévère dont seul l'ego dépassait la forte taille; il avait fait l'armée et avait un caractère explosif; il nous répétait sans cesse qu'un bon interne était celui qui réussissait ses deux mois de stage en ne dormant pas plus de six heures par jour, en perdant au moins cinq kilos, en allant aux toilettes une seule fois par jour, après vingt et une heures si possible, et en ne prenant jamais le repas du midi.

Il avait l'habitude de nous exposer des cas célèbres d'erreurs médicales. Il aimait particulièrement nous raconter les erreurs qui avaient été commises par des médecins omnipraticiens, qu'il traitait de sous-doués, de ratés sympathiques dont l'avenir professionnel, selon lui, se résumait immanquablement à prescrire des contraceptifs ou des patchs de Prémarine dans un bureau ou un CLSC.

Sans se soucier une fraction de seconde de notre future orientation professionnelle, il nous montrait toute une panoplie de diapositives des horreurs qu'il avait vues au cours de ses vingt-cinq ans de carrière. Il pointait son crayon télescopique vers chacun de nous à tour de rôle et nous demandait de commenter les fautes commises et d'y remédier sur-le-champ, sous peine de faire une garde supplémentaire de vingt-quatre heures dans la semaine suivante.

Toutes les erreurs y étaient présentées, en particulier celles qui avaient été commises pendant l'installation de drains thoraciques ayant causé de très graves complications, voire même la mort. Nous avions droit à des exemples de drains ayant perforé la rate, le foie, l'aorte ou le cœur; à un exemple de tube de drainage d'estomac qui, installé par le nez dans un cas de fractures maxillo-faciales, avait suivi un mauvais trajet pour se rendre non pas à l'estomac mais dans le cerveau du malade; à un exemple de sonde vésicale qui avait fait éclater la prostate d'un homme; bref, à une collection de cas digne d'un musée de la Première Guerre mondiale.

Nous sortions de ces séances avec une bien faible estime de nous-mêmes, notre ego ayant rétréci à la grosseur d'un petit pois. Pour les filles en médecine, c'était à mon avis encore pire, car ce professeur ne leur adressait jamais la parole. Certes, elles évitaient ainsi le stress de ses interrogatoires, mais le mépris non voilé qu'il leur manifestait était tout à fait dégradant. Souvent, il terminait son cours par : « Pour vous, jeunes demoiselles, cela n'a guère d'importance car, en médecine de famille et en gériatrie, vous ne verrez pas de ces cas. »

Mais le destin fait parfois bien les choses : quelques années plus tard, ce professeur fut terrassé par une violente crise cardiaque et amené en détresse cardiorespiratoire à l'urgence d'un hôpital régional, où il fut réanimé avec succès par la jeune femme médecin de garde. Après quoi, il fut transféré dans un grand centre de cardiologie où il fut opéré par une chirurgienne fraîchement revenue de la célèbre clinique Mayo. Il eut quatre pontages coronariens et une résection d'anévrisme de la paroi gauche du cœur. L'opération fut un succès.

En palpant le thorax de ma patiente, j'ai la confirmation qu'elle a plusieurs côtes brisées. L'installation du drain sera encore plus délicate, mais il est primordial de la faire rapidement, car l'air et le sang emmagasinés dans la cage thoracique compriment les poumons et empêchent la circulation de l'air et l'oxygénation.

— Docteur, la pression baisse, elle est à 80 sur 40; le pouls est à 130.

— Est-ce que le sang est arrivé? dis-je.

L'infirmière s'éloigne pour téléphoner au laboratoire afin de vérifier. Je l'entends s'exclamer :

— Toutes les éprouvettes sont restées sur le comptoir! Personne ne les a acheminées?

Elle revient m'annoncer :

— Je cours au labo porter les éprouvettes.

Une décharge d'adrénaline m'envahit, pendant que j'injecte l'anesthésique entre les côtes.

— Comment se fait-il que personne ne les ait acheminées au labo plus tôt?

— Je ne sais pas, répond l'infirmière. Depuis qu'on nous a coupé du personnel, il faut tout faire nous-mêmes; avant, on avait deux préposés, maintenant, on n'en a qu'un.

— OK, rapportez tout de suite deux culots O négatif non croisé, car la patiente a de graves hémorragies internes en plus de ses grosses fractures.

Je fais une pause et j'ajoute :

— Demandez-leur de décongeler dix culots de plaquettes et deux de plasma avec six autres culots de sang croisé, il va falloir remplacer les pertes par plusieurs transfusions.

Dans les cas de polytraumatisés majeurs, nous devons toujours prévoir de très grandes quantités de sang. Notre accidentée nécessitera sûrement plus de huit transfusions, car mon investigation rapide a révélé une fracture ouverte du fémur et une du bassin qui, à elles seules, peuvent causer des pertes de sang de trois à quatre litres; en plus, la jeune femme a du sang dans l'estomac et il existe une possibilité de rupture de gros vaisseaux sanguins tels que l'aorte. Quant aux plaquettes et au plasma, ils assureront la formation de caillots sanguins. Malgré les longues heures de travail, je sens que je maîtrise entièrement la situation. Je me sens tout de même un peu irritable car, malgré des manœuvres de réanimation rapides et adéquates, le simple fait qu'il n'y ait eu personne pour porter les tubes de sang au laboratoire retarde le début des transfusions sanguines, ce qui est inacceptable.

De la main droite, je fais une incision de trois centimètres au-dessus du bord supérieur de la côte dans la région mid-axillaire, latéralement sous le muscle pectoral. Je traverse les muscles intercostaux, puis je pénètre doucement dans l'espace intercostal avec mon index; au bout de mon doigt, je ressens la chaleur provenant de l'intérieur du thorax.

Une infirmière de la salle de cardiologie arrive en me montrant un électrocardiogramme.

— C'est l'électrocardiogramme d'un homme de cinquante ans. Il est arrivé sur pied, il a une forte douleur au thorax.

Tout en restant assis sur mon banc à roulettes, je fais une contorsion des épaules qui pourrait me valoir un premier rôle au Cirque du Soleil; les mains toujours dans la même position, je regarde l'électrocardiogramme, qui révèle des anomalies électriques du cœur, anomalies typiques de l'infarctus aigu du myocarde, ou crise cardiaque, en termes plus communs.

Je demande:

— Depuis combien de temps la douleur a-t-elle commencé?

— Environ quarante-cinq minutes, me répond l'infirmière.

— C'est bon, cela va nous permettre de lui donner de la thrombolyse.

L'infarctus étant en partie causé par la formation d'un caillot dans une artère coronaire, ce médicament peut faire fondre le caillot et renverser la crise cardiaque, s'il est administré dans les six heures qui suivent le début des symptômes. Il peut donc guérir immédiatement le malade.

Cependant, rien n'étant jamais simple en médecine, l'un des effets secondaires les plus graves de ce médicament est de provoquer des hémorragies qui peuvent être mortelles; il faut par conséquent s'assurer que le malade n'a eu aucun saignement ni aucune perte de sang dans les semaines qui ont précédé l'attaque cardiaque, car une erreur de diagnostic peut le tuer.

Je m'adresse alors à l'infirmière :

— Demandez-lui s'il a eu des saignements ou une chirurgie dans les derniers mois. Si tout est beau, on entame le protocole de thrombolyse. Je vais venir le voir dans quelques minutes.

Puis je reviens à mon drainage thoracique. Mon index gauche est toujours à l'intérieur du thorax; de la main droite, je saisis une pince courbe dont la pointe est ronde et je perfore la paroi pleurale qui recouvre le poumon. Le résultat est identique à la perforation d'une membrane de plastique : l'air et le sang emmagasinés sous pression jaillissent en éclaboussant mon pantalon. J'insère le gros tube de plastique dans la cavité, à environ huit centimètres vers le haut pour éviter l'aorte et le cœur.

Une voix se fait entendre :

— La pression a remonté à 100 sur 50, le pouls est à 125.

J'inspire profondément. Enfin une bonne nouvelle : la pression remonte, ce qui signifie que le drain est bien localisé.

Maintenant, la seconde phase de mon travail consiste à remplacer les pertes sanguines et à prévenir les dommages internes jusqu'à ce que la jeune femme soit transportée dans un centre tertiaire de traumatologie, car son état nécessite une équipe de plusieurs chirurgiens : chirurgien cardio-vasculaire, chirurgien thoracique, chirurgien orthopédiste et possiblement neurochirurgien.

Notre hôpital est bien équipé pour faire face à toutes les situations d'urgence, mais notre rôle, en ce qui concerne les accidentés graves, est de stabiliser l'état du malade et de transférer ce dernier dans un centre hospitalier tertiaire.

En fixant le tube de plastique avec un gros fil de nylon 3-0, je me remémore une entrevue accordée à la radio par un politicien en campagne électorale : le politicien promettait à la population d'une région périphérique d'amener des chirurgiens cardiaques à pratiquer dans son hôpital, ce qui éviterait les déplacements des malades vers les grandes villes. Je m'étais alors fait la réflexion qu'il était utopique de penser pouvoir fournir des services tertiaires surspécialisés dans toutes les régions d'un pays vaste comme le nôtre, à une époque où les grands spécialistes se font de plus en plus rares et où les technologies médicales évoluent à un rythme accéléré, beaucoup plus rapide que l'augmentation des crédits alloués.

Plusieurs expériences passées, menées par d'illustres politiciens, se sont avérées des échecs : rappelons-nous seulement le fameux dossier des greffes pulmonaires, dans lequel on a obligé pendant six mois les malades à se promener entre Montréal et Québec pour enfin revenir au point de départ, c'est-à-dire Montréal, là où toutes les équipes de spécialistes se trouvaient. Car le ministre de la Santé de l'époque avait omis de prendre en considération un point important dans ce dossier : il n'y avait pas de chirurgiens capables de procéder à la transplantation à Québec ! Ce dossier est vite devenu une cause politique qui a tourné en « chicane de paroisses » dans laquelle tous se relançaient la balle. Pendant ce temps, une vingtaine de grands malades vivant en permanence avec un masque à oxygène attendaient dans l'angoisse la fin de ce malheureux match dont l'enjeu était la vie.

Lorsque l'épisode fut conclu, le ministre s'adressa en ces termes à la population et aux malades toujours en attente : « Faites-nous confiance, tout est réglé maintenant. »

J'en souris encore, même si ce n'est pas drôle.

Tout en enlevant mes gants et ma blouse chirurgicale et en me dirigeant vers la salle de cardiologie pour interroger le malade atteint d'une crise cardiaque, je dis à l'infirmière en charge de la salle de choc :

— Nicole, il faut faire venir la radiologie pour des rayons X : poumons, colonne cervicale latérale, crâne et bassin. Je vais voir rapidement le cas d'infarctus dans la salle de cardiologie; au retour, je vais suturer les grosses plaies qui saignent avec du fil 3-0, installer une sonde urinaire, un tube nasogastrique et un gros cathéter central pour donner le sang à haut débit. Préparez-moi ce qu'il faut, je reviens tout de suite.

J'arrive au chevet du cardiaque; il est blême, tout en sueur, il gémit et se tord de douleur en serrant son thorax de ses deux mains. L'interrogatoire se déroule rapidement : obèse, fumeur, ayant des antécédents familiaux de maladies coronariennes, le malade confirme avoir des douleurs au thorax irradiant dans la mâchoire et le bras gauche depuis bientôt une heure. En ce qui concerne les saignements, tout est normal; le deuxième électrocardiogramme confirme un infarctus étendu du cœur.

Je le rassure :

— Ne vous inquiétez pas, dans quelques minutes vous serez soulagé.

Je quitte la salle et me dirige vers le poste des infirmières, où je retrouve celle qui s'occupe de lui.

— C'est un infarctus simple, on va lui donner de la morphine 5 mg en intraveineuse aux dix minutes; comme il n'y a pas de contre-indication à la thrombolyse, on prépare de l'Activase.

Ce médicament coûte environ deux mille dollars, mais c'est le plus efficace dans la situation actuelle. J'inscris une note rapide dans le dossier médical et je retourne auprès de Julie, la jeune traumatisée. Je ne suis pas trop inquiet pour le coronarien car, après toutes ces années de pratique à l'urgence, je connais par cœur le traitement de l'infarctus non compliqué; c'est devenu presque une banalité. On fait un diagnostic adéquat et il suffit d'appliquer la bonne recette de

médicaments. « C'est si simple, la médecine », me dis-je iro-
niquement.

Pendant que l'équipe s'affaire à préparer l'équipement, je
réexamine la jeune femme de la tête aux pieds. Le choc a
vraiment été très violent : le lambeau de calotte crânienne
d'environ huit centimètres sur douze est parsemé de multiples débris de verre et de pierres qui se mélangent au
magma de sang frais coagulé. Chez l'humain, la calotte
crânienne est très vascularisée et protège ainsi le cerveau
contre le froid en permettant à une grande quantité de sang
de circuler autour du crâne. Lorsqu'il y a une blessure à cet
endroit, le saignement est de forte intensité.

Je procède à un nettoyage rapide et referme les plaies avec
des sutures larges afin de comprimer vivement les artères.

Une infirmière intervient soudainement :

— Docteur, l'époux est dans la salle d'attente, il veut
absolument voir sa femme. La technicienne en radiologie est
aux soins intensifs, elle demande si elle peut venir dans trente
minutes.

— Il faut les rayons X immédiatement, et dites à l'époux
d'attendre quelques minutes.

Les sutures terminées, j'aperçois la technicienne de laboratoire qui arrive avec les deux premières transfusions de
sang. Elle me tend un document en disant :

— Voulez-vous signer ici, docteur?

— Mais qu'est-ce que c'est que ce papier? fais-je avec
impatience en regardant le document, que je n'ai jamais vu
auparavant.

— Comme vous désirez du sang O négatif non groupé-
croisé, l'hôpital et les laboratoires ne veulent pas être tenus
responsables d'une éventuelle réaction transfusionnelle.
Alors il faut signer pour nous libérer de cette responsabilité.

La technicienne m'a fait cette réponse en me désignant
du bout du doigt l'endroit où il faut que je signe.

Il y a toujours un risque à donner du sang qui n'a pas subi tous les tests de compatibilité mais, dans les cas extrêmes où la vie est en jeu, il faut prendre une décision en calculant les risques et les bénéfices pour le malade. Ce principe s'applique à toutes les interventions que nous faisons, et la capacité de prendre rapidement une décision est une qualité importante du personnel travaillant au service des urgences.

— Dans combien de temps le sang groupé-croisé sera-t-il prêt?

— Dans quinze à vingt minutes, me répond la technicienne.

— C'est à peu près le temps pendant lequel les prélèvements sont restés à moisir sur le comptoir, lui dis-je avec un soupçon d'ironie dans la voix.

— Ce n'est pas ma faute, docteur; nous manquons de personnel, vous le savez bien.

— Alors, comme ça, s'il y a une réaction transfusionnelle, ce sera ma faute?

— Il faut se protéger, docteur; aujourd'hui les gens poursuivent pour tout et pour rien.

Tout en signant le document qui décharge l'hôpital et ses administrateurs de toute responsabilité, je réfléchis à la situation : si j'attends le sang groupé-croisé, la patiente peut mourir ou avoir des dommages internes irréversibles, et alors je serai tenu responsable. Par contre, si je donne du sang non groupé-croisé et qu'il y a réaction à la transfusion, la jeune femme peut en mourir, et j'en serai encore une fois tenu responsable. Donc, je n'ai pas vraiment le choix. Aussi je demande qu'on donne le sang non groupé-croisé en espérant que tout aille bien.

Je poursuis avec l'examen neurologique : c'est encourageant, Julie ne semble pas avoir subi de dommage cérébral aigu.

L'examen du thorax démontre un traumatisme et une sévère contusion pulmonaire; un saignement de plus de 1000 cc s'échappe du drain.

Le temps passe vite, il est maintenant six heures trente. Une demi-heure s'est écoulée depuis l'arrivée de la jeune femme. Celle-ci doit maintenant être transférée dans un centre tertiaire et opérée le plus rapidement possible. Dans notre jargon, nous appelons cette période de réanimation à l'urgence la « Golden Hour » ou « l'heure dorée » : la première heure, cette période très critique où l'on doit réussir à stabiliser le malade par diverses manœuvres, où l'on remplace les pertes de sang selon le principe des vases communicants, c'est-à-dire que l'on donne les mêmes quantités de sang que celles qui ont été perdues, et où l'on s'assure que tout est fait pour garder les organes vitaux en fonction et avec le moins de dommage possible. Par la suite, ce sont les interventions rapides à la salle d'opération qui sauveront le malade.

Je demande à l'infirmière de me mettre en contact téléphonique avec le chirurgien thoracique de garde d'un grand hôpital universitaire et de préparer la trousse de transfert. Il nous faudra une ambulance, une infirmière, un inhalothérapeute et aussi un autre médecin pour accompagner la patiente.

L'appareil mobile de radiographie fait enfin son apparition dans la salle de choc. Le préposé étant parti à sa pause santé, et l'infirmière sur les lieux étant limitée aux travaux légers à cause d'une entorse lombaire, personne d'autre que moi n'est disponible pour aider la technicienne en radiologie : car un malade polytraumatisé doit être soulevé en bloc puisque, comme je l'ai dit plus tôt, il faut éviter tout déplacement de la colonne vertébrale qui pourrait entraîner une rupture de la moelle épinière. Dans le cas d'une fracture de vertèbre, les dommages causés peuvent mener à une paralysie irréversible.

Je me répète mais, que voulez-vous, la fatigue est là, et la situation actuelle n'aide pas à calmer mon caractère facilement irritable. Heureusement, au fil des années, j'ai réussi à domestiquer une « voix intérieure » qui me visite dans ces moments et qui apprivoise mon caractère volcanique en lui répétant : « Du calme, du calme, respire lentement, pense à la mer ou à la montagne, ça va s'arranger. »

Cette voix intérieure réussit généralement à m'apaiser.

Au chevet de la patiente, je supervise la prise des clichés. En même temps que je soulève la malade, que l'infirmière tire sur la colonne cervicale et que l'inhalothérapeute ventile les poumons contusionnés, l'infirmière-chef me met en communication avec l'interne de garde en chirurgie d'un hôpital universitaire. Je tiens le téléphone coincé entre mon épaule et ma joue, ce qui me permet de continuer à utiliser mes mains. J'explique à l'interne le cas de ma jeune polytraumatisée ; à l'autre bout du fil, je l'entends soupirer ; sans doute prend-il des notes et remplit-il une feuille de transfert. Il me pose toute une série de questions : antécédents familiaux de la patiente, nombre de grossesses, habitudes de vie telles que consommation de tabac, d'alcool ou de drogues, allergies et même la date des dernières menstruations. Je coupe court à toutes ses questions en répondant que je n'en sais rien. S'il continue, il va me faire perdre patience ; j'essaie de retrouver ma voix intérieure et mon calme pour ne pas m'emporter contre ce jeune zélé de la chirurgie.

Après dix minutes, il me déclare d'un ton sec :

— Je vais voir ce que je peux faire pour vous ; il faut que j'appelle le patron de garde pour lui expliquer le cas. Il faut aussi que je voie si nous avons un lit disponible aux soins intensifs. Je vais vous rappeler plus tard.

— Plus tard, ça veut dire dans combien de temps ?

— Je ne sais pas, cela dépend de mon patron, c'est lui qui décide.

— Bon, OK, sans te mettre trop de la pression, il faudrait faire vite ; ma malade est stabilisée, mais elle saigne beaucoup (j'insiste sur le « beaucoup ») et elle ne restera pas stable longtemps.

— Oui, oui, dit-il en raccrochant.

Les clichés radiologiques sont terminés.

Maintenant, je devrai rencontrer le mari dans le corridor. Je déteste vraiment rencontrer les familles dans le corridor, surtout si les cas sont graves. Il n'y a aucune intimité, le va-et-vient n'arrête pas, et les malades sur les civières alignées le long des murs prêtent toujours une oreille attentive aux conversations des médecins; d'ailleurs, c'est sûrement dans un corridor de l'urgence qu'est née l'expression «les murs ont des oreilles»!

Au service des urgences, nous n'avons malheureusement pas de locaux destinés à ces rencontres. Il y a bien la salle d'attente et les salles d'examen mais, dans la dernière heure, plusieurs personnes se sont présentées à l'urgence et toutes les salles d'examen sont occupées par des malades qui attendent. En me dirigeant vers la salle d'attente pour retrouver l'époux, je fais un bref arrêt à la salle de cardiologie pour vérifier l'état de mon cardiaque : il va bien, il a les yeux vitreux mais plus de douleur. Il me dit avec un sourire béat : «Hé! docteur, c'est du maudit bon stock que vous avez ici», à quoi je réponds aussi par un sourire. L'électrocardiogramme montre une correction complète de l'infarctus. Je me dis : « Voilà au moins un cas réglé. »

Dans la salle d'attente, les gens fixent passivement le plafond, où un téléviseur suspendu a été installé dans le but de divertir les «patients impatients» et de diminuer l'impact des longues heures d'attente sur leur moral.

Dans un coin de la pièce, une jeune maman tente de calmer les pleurs de son bébé; les cris sont forts et stridents, les gens autour semblent excédés par le poupon. Tout en appelant l'époux de la jeune accidentée, je jette un coup d'œil rapide au bébé: celui-ci — je suppose que c'est un garçon, car il a une bavette bleue — a environ un an, et de grosses larmes coulent sur ses joues. En quelques secondes, je fais une évaluation globale de ce bébé: il a sûrement encore une grande réserve de forces physiques, car ses cris sont puissants; il est bien hydraté, car les larmes abondent; et lorsque je m'approche, il a peur et se colle avec beaucoup d'énergie à sa mère. Celle-ci, les yeux cernés, me dit que Guillaume perce ses premières dents, qu'il a pleuré toute la nuit et qu'elle ne sait plus que faire pour calmer le petit. Je lui dis de se rendre dans un cubicule d'examen, je vais m'occuper de son bébé.

J'entends un commentaire provenant du fond de la salle : « Elle fait exprès pour faire pleurer le bébé, c'est une façon de passer avant nous autres. »

La jeune mère se tourne vers le plaignard et lui lance du regard quelques flèches bien acérées. L'homme, dans la cinquantaine, a le crâne un peu dégarni, les boutons de chemise qui résistent tant bien que mal à la pression de son obésité croissante et un paquet de cigarettes écrasé par les fibres de nylon dans sa poche de poitrine. Il se fige tout à coup, conscient d'avoir dit un mot de trop. D'une voix entrecoupée par la toux, il dit :

— Moi, j'endure une grippe depuis deux semaines.

Aussitôt, une deuxième quinte de toux maladroitement forcée termine son explication.

De son bras gauche, la jeune mère prend son bébé, qui se débat comme un petit diable dans l'eau bénite; de son bras droit, elle saisit le sac de couches, le biberon, la sucette, le hochet, la couverture de flanelle, l'ourson et la poussette, et elle réplique :

— Tu n'es qu'un gros con, et j'espère que tu vas attendre longtemps.

Incroyable : on se met à rire dans la salle d'attente. L'homme vient d'apprendre qu'en chaque mère sommeille une lionne.

Il réplique, en bombant le torse :

— Ça ne se passera pas comme ça; elle n'a pas d'affaire à passer avant nous autres; je vais porter plainte.

Je me retourne et lui réplique bien calmement :

— Le service des plaintes ouvre à neuf heures; c'est au premier étage.

Je demande à l'époux de la jeune femme accidentée de m'attendre quelques minutes, le temps que je règle le cas du bébé.

Le cas est vite réglé : le petit a une otite aiguë. La mère m'explique qu'elle est allée chez un chiropraticien homéopathe, qui a fait un massage de la colonne cervicale au bébé puis l'a déposé dans un appareil en forme de tube émettant des ondes positives. Il lui a dit de donner au bébé des capsules de yogourt et des granules verts, en ajoutant que les antibiotiques étaient mauvais et qu'ils pouvaient diminuer le système immunitaire des enfants. Il a terminé en disant que si cela n'allait pas, elle pouvait revenir le voir ou se rendre à l'hôpital. Et, comme monsieur le docteur homéopathe pratique la médecine holistique pour lui-même comme pour ses patients, il doit se reposer. Le repos et le respect du cycle circadien font partie de la médecine holistique. Par conséquent, il dort la nuit, lui.

En demandant à une infirmière de donner à l'enfant une dose d'antibiotique et du sirop à la codéine pour calmer la douleur, je remplis l'ordonnance et j'explique à la mère que l'otite est causée par des bactéries et que les antibiotiques que je lui prescris seront efficaces après quarante-huit heures de traitement. J'ajoute qu'ils sont sans danger pour l'immunité du bébé. Elle me demande ce que je pense des traitements de chiropratique pour l'otite ; je lui réponds que jamais l'efficacité de cette forme de pratique n'a été prouvée dans le cas de l'otite, ni même dans les cas d'autres maladies telles que l'asthme et le diabète.

Elle repart avec tout son attirail ; le petit s'est calmé sous l'effet de la codéine. Nous la faisons passer par la porte arrière de l'urgence, car il vaut mieux éviter une querelle dans la salle d'attente.

Tout en remplissant le dossier du bébé, je repense à ce charlatan de chiropraticien homéopathe. Je me dis que l'homéopathie devrait plutôt s'appeler la placebothérapie, car toute l'efficacité de cette médecine réside dans l'effet placebo des granules. L'effet placebo, c'est l'effet positif qu'apporte toute médication, quelle que soit la composition de la pilule. Par exemple, une pilule contenant du sucre et de l'amidon procurera un effet positif chez un certain nombre de personnes traitées pour l'hypertension en diminuant légèrement la tension artérielle; c'est ce qu'on appelle l'effet placebo. Ce dernier est intimement lié à l'effet psychologique positif que crée le simple fait de prendre une pilule et de croire qu'elle va nous aider. Mais l'effet placebo ne fonctionne pas chez les enfants malades. C'est pourquoi, à mon avis, l'homéopathie n'est pas pertinente, du moins pour les enfants.

Je retourne ensuite dans le corridor menant à la salle d'attente; la secrétaire de l'admission me dit que l'époux de la jeune accidentée est à la salle de bain; j'en profite pour respirer un peu en m'appuyant un instant contre le mur à l'arrière de la salle. Tous les regards sont fixés sur le téléviseur, qui diffuse une émission matinale; personne ne m'a aperçu.

Il y a bien une vingtaine de personnes maintenant: trois travailleurs vêtus de chemises à carreaux, de pantalons huileux et de bottes de travail, dont un qui comprime un pansement sur sa main gauche, sans doute à cause d'une lacération; un autre, en fauteuil roulant, a un sac de glace sur son pied droit surélevé, en raison d'une entorse ou d'une fracture, probablement; le troisième ne semble pas très malade: peut-être souffre-t-il vraiment d'un mal de dos, mais peut-être espère-t-il seulement obtenir un arrêt de travail pour aller à la chasse aux frais de la CSST. Il y a également deux couples de personnes âgées, qui se racontent leurs opérations et maladies passées ainsi que les mille effets secondaires de leurs pilules; ce matin, la raison de leur visite semble être la grippe; leur frêle colonne vertébrale affaiblie par l'arthrose mène une lutte sans merci contre la gravité terrestre pour leur permettre de regarder le fameux téléviseur suspendu au plafond. Je me dis que si l'attente est trop longue, c'est de douleurs dorsales qu'ils se plaindront. Une femme dans la trentaine est assise et elle pleure en se tenant le ventre de ses deux mains et en disant : « Je ne veux pas le perdre, je ne veux pas le perdre! » Pendant que son époux, nerveux, remplit la paperasse administrative, l'infirmière responsable du triage vient la chercher et la conduit à une civière en lui disant : « Ne vous inquiétez pas, tout va s'arranger. »

Et, bien sûr, il y a le grippé, le malappris de tantôt, qui grogne toujours dans un coin pendant que son épouse tente de l'apaiser un peu; ce type est une cause perdue, me dis-je en moi-même; heureusement, il ne m'a pas vu.

Immanquablement, mon attention est attirée vers le téléviseur; les deux animateurs nous souhaitent un bon matin avant le premier bulletin de nouvelles. Puis ils nous annoncent que la grippe de Hong Kong est arrivée à Vancouver; un homme de quatre-vingt-douze ans en serait la première victime. Au même moment, une des dames dans la salle d'attente dit à son mari : « Tu vois, Camil, on a bien fait de venir, elle s'en vient, la fameuse grippe de Hong Kong; cette année, on va prévenir le coup. »

Ensuite, les animateurs commentent des images en direct d'un drame familial : un père ayant perdu son emploi s'est barricadé dans sa maison et menace de tuer sa femme et ses deux enfants à l'aide d'une arme de chasse. Un reporter sur place fait des entrevues avec les voisins évacués qui, en pyjamas sur le trottoir, commentent leurs relations avec cette famille.

Personne ne semble comprendre le geste de désespoir de ce père de famille qui avait une vie comme les autres, qui tondait régulièrement sa pelouse et entretenait des discussions amicales par-dessus la clôture avec tous ses voisins.

Une dame âgée, voisine du couple, nous raconte que le désespéré avait récemment commencé à boire, ce qui lui rappelle son premier mari, qui est devenu fou, lui aussi, à cause de l'alcool.

Après ce reportage, on nous montre de tristes images de la famine en Afrique, devenue un vaste champ de poussière balayé par le vent, où les enfants au gros ventre sont des proies faciles pour les centaines de mouches qui tournent autour de leurs yeux afin de sucer les dernières larmes que leur frêle corps peut offrir. D'un autre pays de ce continent nous parviennent d'autres images, celles d'une misérable guerre où l'on jette à la rivière des centaines de corps mutilés. « Là-bas, c'est la vraie misère », me dis-je en me rappelant quelques souvenirs de mes expériences de travail dans des pays d'Afrique.

Ensuite, il y a le cadavre d'un jeune revendeur de drogues baignant dans une mare de sang devant des badauds ; on attend le verdict du coroner, qui constatera le décès par mort violente.

Puis ce sont la circulation automobile, les sports, la météo et quelques recettes, dont le « muffin au son et aux raisins ».

Et tout à coup, en primeur de Washington, un reporter nous apprend que maître Kenneth Starr a mis la main sur la fameuse robe bleue que Monica portait pendant une séance d'ébats avec le président et qui aurait été éclaboussée par le fluide présidentiel. « Cette robe sera une preuve irréfutable, dit Kenneth Starr car, grâce à des tests diagnostiques sur l'ADN, nous saurons bientôt hors de tout doute que cette tache blanche est bel et bien du sperme clintonien. » Et il termine son intervention avec un sourire en répétant : « *Real Clintonian sperm.* »

Le bulletin s'achève avec notre premier ministre qui s'envole vers le Sommet des pays industrialisés, dont le thème cette année est : la crise des pays du tiers-monde. Juste avant de monter dans l'avion, le premier ministre nous dit qu'il faut tout faire pour aider les pays pauvres et les encourager à respecter les droits humains.

Or, il y a quelques mois à peine, ce même premier ministre courtisait des dictateurs asiatiques pendant le Sommet économique des pays du Pacifique, à Vancouver. Des étudiants manifestaient calmement pour le respect des droits humains devant l'hôtel où se tenait la conférence; pour ne pas abîmer son image et ne pas déplaire à ses «invités de prestige», notre premier ministre a alors fait asperger ces étudiants de poivre de Cayenne et il les a fait emprisonner.

En moi-même, je me dis que mieux vaut un politicien qui baise avec sa stagiaire qu'un premier ministre qui flirte avec des dictateurs crapuleux.

En regardant ces images, je soupire, je me gratte le menton et j'imagine les milliers de téléspectateurs déjeunant devant leur appareil allumé, les enfants mangeant leurs céréales et demandant : «C'est quoi, du *Clintonian sperm*, papa?» Quelle bizarrerie, n'est-ce pas, quand on prend la peine d'y penser! Est-il vraiment nécessaire de commencer sa journée de cette façon?

Sans que je m'en rende compte, le grippé impatient m'a aperçu. Il s'avance vers moi en disant :

— C'est ça, pendant que nous, les malades (il insiste sur le mot «malades» en haussant le ton de façon à attirer l'attention de tous les autres, qui se retournent effectivement vers nous) pendant que nous, les malades, on agonise dans la salle d'attente, le docteur regarde la télévision tranquillement.

Je l'ignore complètement. Au même moment, l'époux sort de la salle de bain, les yeux rouges et cernés. Je l'accompagne vers la salle de réanimation. Tout en marchant, il me demande :

— Comment va Julie, docteur?

L'autre nous suit sur les talons en répétant :

— Je veux faire une plainte, je vais faire une plainte, ça ne se passera pas comme ça! C'est quoi, ton nom? C'est quoi, ton nom?

Je me retourne et réponds, un peu moins calmement peut-être :

— Mon nom, c'est Patenaude. Avez-vous bien compris? Patenaude. Maintenant, retournez à la salle d'attente, vous n'avez pas le droit d'être ici.

Il ajoute :

— Comment ça s'écrit, Patenaude?

— Vous demanderez à l'infirmière du triage. Et maintenant, retournez dans la salle d'attente, vous n'avez pas le droit de dépasser ce rideau, dis-je en lui montrant une bande de tissu déglinguée attachée sur un rail et séparant la salle d'attente de la salle de travail du personnel que l'on nomme le poste.

L'homme finit par retourner sur son banc.

«Heureusement qu'il y a le rideau», me dis-je en regardant le vieux tissu agonisant sur le rail.

En parcourant le corridor bondé de malades sur des civières, j'invite l'époux à m'accompagner jusqu'à son extrémité, seul coin de l'urgence qui résiste encore à l'assaut des malades.

— Venez, nous serons plus tranquilles là-bas. Votre femme a subi de très graves traumatismes aux poumons, à l'abdomen, au bassin et aux jambes. Je crois qu'elle a aussi une commotion sévère au cerveau; pour l'instant, je ne peux vous dire s'il y aura des séquelles neurologiques. Présentement, elle est stable, mais chacune de ces lésions peut être très grave. Nous devons la transférer dans un plus gros hôpital, car elle a besoin de chirurgie au thorax, aux gros vaisseaux sanguins et possiblement au cerveau; nous n'avons pas ces spécialités ici.

L'homme se met à sangloter.

— Elle a quitté la maison fâchée ce matin, nous nous sommes disputés.

— Vous savez, c'est un accident, personne n'y peut rien. Vous n'avez pas à vous sentir coupable.

Tout en tâchant de le rassurer, je pense à ce qu'une amie psychiatre m'expliquait un jour : une étude démontrait que souvent, dans les cas d'accidents de la route, on découvrait qu'une circonstance affective — tel un conflit familial ou un conflit au travail, un état dépressif, une fatigue due à un sommeil inadéquat ou même un état d'exaltation consécutif à une bonne nouvelle — avait pu diminuer l'attention et les réflexes des conducteurs et augmenter ainsi les risques d'accident. Cette remarque de mon amie psychiatre me paraît très pertinente. Je crois que nous avons tous vécu une situation semblable un jour ou l'autre. Or, conduire une voiture demande un fonctionnement parfait de toutes nos facultés.

Il y a quelques années, alors que je revenais en auto d'une nuit de travail qui avait été marquée par la mort d'un adolescent que je n'avais pu réanimer, je pensais à ma nuit et j'essayais de voir si mon travail avait été parfait. Pendant ce temps, je brûlai trois feux rouges coup sur coup, sans m'en rendre compte. Quelques minutes plus tard, les policiers mirent un frein à cette conduite dangereuse. Sur le coup, j'ai refusé de les croire, j'étais certain que les feux étaient verts. J'ai abdiqué lorsque j'ai reçu la contravention de 200 $. La montée d'adrénaline a alors tenu mes sens éveillés pour le reste du trajet. En fin de compte, c'était sûrement la meilleure chose qui pouvait m'arriver, car un accident aurait pu être fatal.

Une infirmière vient soudainement me chercher :

— Docteur, nous avons l'hôpital de transfert en ligne.

Tout en me dirigeant vers la salle de choc, je dis à l'époux :

— Venez voir Julie, mais je tiens à vous avertir : elle est inconsciente, elle a des tubes dans la bouche, le nez et au thorax gauche. Mais elle a eu des analgésiques et des médicaments pour l'endormir, elle ne souffre donc pas.

J'ouvre la porte de la salle de choc et j'accompagne le jeune époux près de la civière. Il se met aussitôt à pleurer abondamment. Je cherche une boîte de mouchoirs, mais je n'en trouve pas; elles sont devenues très rares, car elles ont été les premières «victimes» des réductions budgétaires. Je me rappelle ce commentaire d'un administrateur : «Les boîtes de kleenex, ce n'est pas essentiel : les bénéficiaires n'auront qu'à les fournir eux-mêmes, et nous allons économiser 1 200 $ par année.»

Quelle logique tordue! Faites le compte de ce que cela représente sur un bubget de trente-cinq millions de dollars par année! Or, c'est ici, à six heures du matin en pleine guerre, que nous en avons besoin. On ne peut quand même pas laisser cet homme qui sanglote se moucher avec un drap ou du papier hygiénique! Ces compressions irréfléchies m'exaspèrent et me font douter du bon sens des hauts fonctionnaires du domaine de la santé.

Finalement, victoire! j'en déniche une. Camouflée comme un soldat dans la jungle, elle se cachait derrière le respirateur automatique. Je la remets à l'époux, en même temps qu'une chaise à roulettes pour qu'il se repose. Il me demande :

— Est-ce que je peux lui prendre la main?

— Mais oui, bien sûr.

— Croyez-vous qu'elle peut m'entendre?

— Oui, peut-être.

En quittant la salle pour prendre l'appel de l'hôpital de transfert, j'entends ses sanglots entrecoupés des excuses qu'il adresse à Julie en lui demandant pardon.

J'arrive au téléphone. On a raccroché! Sans doute un autre étudiant, à l'autre bout, qui n'a pas pris la peine d'attendre une minute. Je re-téléphone. Longues minutes d'attente. Enfin, le futur docteur en troisième année de spécialité chirurgicale me répond :

— Je regrette, docteur, on est très occupés ici; lorsqu'on m'appelle, il faut que je vienne tout de suite, je n'ai pas le temps d'attendre.

Il fait une pause et ajoute :

— Quel est votre nom, déjà?

— Patenaude. Et nous aussi, nous sommes très occupés.

Je l'entends noter quelque chose. Sans doute mon nom. Puis il me dit en soupirant :

— Je regrette, nous aurions aimé prendre votre patiente, mais nous n'avons pas de lit disponible.

— Mais vous pourriez l'admettre par l'urgence. Le temps que vous l'opériez, vous aurez sûrement un lit qui se libérera.

Car je sais, pour y avoir travaillé pendant plusieurs années, que ces grands hôpitaux ont entre vingt et trente lits destinés aux cas majeurs de soins intensifs; la rotation étant très rapide, il y a toujours deux ou trois lits qui se libèrent chaque jour. La jeune femme restera au moins de quatre à six heures en salle d'opération, ce qui serait suffisant pour qu'un lit se libère.

— Non, c'est impossible. De nouveaux règlements internes nous interdisent d'accepter un malade de l'extérieur s'il n'y a pas de lit disponible, m'explique-t-il.

D'un ton franchement exaspéré, je rétorque :

— Vous allez sûrement libérer quelques lits dans la journée. Ce cas dépasse nos capacités de traitement; si je ne la transfère pas, cette jeune femme va mourir!

Et j'ajoute :

— Elle a vingt-sept ans et elle est mère de deux enfants.

— Présentement, nous avons de nombreuses personnes âgées qui ont eu des complications pendant des opérations ou des traitements; ces malades ne sont pas près de sortir.

L'âge d'un patient ne devrait pas influencer notre façon de le traiter, bien sûr. C'est vrai, mais des maladies graves et nombreuses s'ajoutent parfois à l'âge; et, là, il faut quand même réfléchir avant d'intervenir, car très souvent de grands malades profiteront beaucoup mieux de traitements dits conservateurs, c'est-à-dire peu agressifs, où l'on traite avec des médicaments plutôt qu'avec des interventions, chirurgicales ou autres. Les méthodes de traitement qui sont indiquées pour un jeune patient ne le sont pas toujours pour la personne âgée souffrant de maladies chroniques, et un traitement agressif peut s'avérer plus néfaste que la maladie elle-même.

— Donc, vous me dites que vous n'aurez aucun lit disponible au cours de la journée?

— Non, je vous dis que le règlement nous empêche d'accepter votre cas tant qu'il n'y a pas un lit de libre. Il faut essayer à un autre hôpital.

— Merci de votre aide! fais-je en raccrochant.

Je demande à l'infirmière de me mettre en communication avec un autre hôpital universitaire. Puis je m'adresse à l'infirmière responsable du triage pour avoir des nouvelles de la jeune femme qui semble faire une fausse couche; son état est stable, je lui prescris des prises de sang, une échographie et un soluté, et je précise que j'irai la voir dès que j'aurai une minute. L'infirmière me dit que le grippé veut déposer une plainte contre moi; je lui réponds : « Je sais, je sais. »

Avant de retourner à la salle de choc, je passe en cardiologie : le malade qui a fait une crise du cœur dort comme un gros bébé, le médicament a été efficace.

À la salle de choc, la troisième transfusion sanguine est en cours. Julie ne montre aucun signe de réaction néfaste aux transfusions; elle commence à se réveiller, elle bouge les deux bras et tousse contre le respirateur qui pousse l'oxygène sous pression dans ses poumons. Lorsque je répète l'examen neurologique, elle ouvre les yeux spontanément; pendant quelques secondes, son regard s'accroche au mien; je suis surpris par cette réaction, qui me fige un court moment; je ressens la crainte, la souffrance et la volonté de se battre dans ce regard qui passe comme un éclair. L'époux est comblé de voir un peu de vie s'exprimer autrement que sur les écrans et par les sons artificiels des appareils médicaux qui envahissent la pièce.

— C'est très bon signe, lui dis-je à voix très basse, elle se réveille rapidement. Malheureusement, il faut la garder endormie afin de protéger son cerveau et ses autres organes car, lorsqu'elle combat le respirateur, son taux d'oxygène baisse, ce qui est très mauvais. De plus, toutes ses fractures et contusions la font sûrement encore beaucoup souffrir.

L'homme acquiesce d'un signe de tête.

— Dans quel hôpital allez-vous la transférer? Quand allons-nous partir? Il me semble que c'est long.

Il est sept heures, la «Golden Hour» est terminée depuis un bout de temps déjà, et je sais que chaque minute qui passe diminue les chances de survie de Julie, mais je n'ai aucun contrôle sur la situation.

Je voudrais donner à son mari une réponse claire et directe, sans ambiguïté, comme j'aime répondre aux familles et aux malades que je soigne. Au lieu de cela, j'ai l'impression de tenter la traversée du Sahara à la nage. Pourtant, tout s'est relativement bien déroulé jusqu'à maintenant; nous avons bien fait notre boulot, mis à part les petits irritants administratifs habituels.

Je sens que mes artères commencent à jouer du tambour dans mes tempes; la fatigue jumelée au stress et à l'excès de caféine provoquent parfois chez moi de fortes douleurs qui, au rythme de mon cœur, enserrent ma tête dans un étau; ces douleurs me rappellent que je suis humain moi aussi, que je ne suis pas à l'abri d'une éruption volcanique ou d'un tremblement de terre.

Je réponds enfin à l'époux:

— Ce n'est qu'une question de minutes, ne vous inquiétez pas.

Je me dirige rapidement vers la pharmacie pour prendre deux comprimés d'acétaminophène extrafort. En passant devant le poste des infirmières, je lâche sur un ton impatient:

— C'est bien long pour avoir des nouvelles de ce maudit transfert!

Le temps que j'ingurgite les comprimés, l'infirmière me dit:

— Docteur, nous avons le chirurgien en ligne.

Je prends aussitôt l'appel.

— Oui, je suis le docteur Patenaude, j'ai un cas très sévère à vous transférer.

Et, du même souffle, j'explique rapidement l'état de ma malade sans laisser à mon interlocuteur le temps de prendre la parole.

Il m'interrompt subitement.

— Je regrette, docteur, nous n'avons aucun lit disponible aux soins intensifs : impossible de prendre votre patiente.

— Vous pouvez peut-être l'admettre par l'urgence; le temps de l'opérer, vous aurez sûrement libéré un lit.

— Non, c'est impossible, nous n'avons plus le droit d'admettre par l'urgence; la direction de l'hôpital nous l'interdit, car il y a déjà un surplus de malades dans les corridors de l'urgence.

— J'ai essayé dans un autre hôpital et j'ai eu le même problème.

— Je sais, je sais, ce sont les nouveaux règlements.

— Bon, merci quand même. Je vais essayer ailleurs.

Je raccroche et demande à l'infirmière d'appeler un autre hôpital.

L'époux, inquiet, me regarde du coin de l'œil; il voit la déception se graver sur mon visage. Julie est bel et bien *ma* malade, comme le disait mon précédent interlocuteur, mais c'est aussi la malade du système de santé, elle est aussi la malade de ces grands hôpitaux qui ont les équipements et le personnel nécessaires pour la sauver.

On choisit le lieu où l'on habite, mais on ne choisit pas le lieu de son accident. Il est ridicule de ne pouvoir accéder rapidement à des soins spécialisés à cause de considérations administratives.

Le Groupe tactique d'intervention dans les urgences (GTI) a été fondé en 1990 et il est formé d'un groupe de médecins et d'administrateurs qui a pour mandat d'évaluer et d'améliorer la performance dans les services d'urgence. La performance est calculée en grande partie sur le nombre d'heures que les malades passent à l'urgence avant d'avoir accès à un lit ou avant d'obtenir leur congé. Ainsi, on calcule le nombre de patients par mois qui passent plus de vingt-quatre ou plus de quarante-huit heures sur une civière dans les corridors de l'urgence. Si le nombre dépasse le seuil acceptable dicté, l'hôpital se voit imposer des pénalités et reçoit la directive d'améliorer sa performance en diminuant le nombre de malades qui restent plus de quarante-huit heures. Les pénalités peuvent aller jusqu'à une diminution de un pour cent du budget total de l'hôpital, ce qui représente parfois plusieurs centaines de milliers de dollars en perte de revenu. À l'inverse, un hôpital ayant une bonne performance peut voir son budget augmenté; c'est le principe du bâton et de la carotte, auquel tous les administrateurs semblent adhérer les yeux fermés. D'ailleurs, comment pourrait-on être contre ce principe? Car, sur le papier, qui dit « performance » dit « amélioration de la qualité des soins aux malades ».

Qu'on le veuille ou non, cette épée de Damoclès administrative influence la pratique des médecins, car ils deviennent soucieux de la performance de leur hôpital. « Il faut que ça roule », comme on dit dans notre jargon. Le médecin doit donc poser des diagnostics et entamer les traitements adéquats très rapidement, de façon à congédier ou à hospitaliser le malade avant que s'écoule la période fatidique de vingt-quatre heures. Par ailleurs, l'hospitalisation sera elle aussi écourtée, le malade sera renvoyé à la maison plus vite et, grâce au virage ambulatoire, il sera pris en charge par des intervenants qui continueront les soins à la maison. Ainsi, ça va rouler, et tout le monde sera heureux!

Ce principe du roulement accéléré a permis aux administrateurs de sortir de savantes statistiques pour démontrer un prétendu surplus de lits dans les hôpitaux, compte tenu du nombre d'habitants dans des régions données. Ces statistiques justifiaient donc de fermer des lits qui, de toute évidence, selon les chiffres, ne serviraient plus. Ainsi, des étages complets d'hôpitaux furent fermés, ce qui entraîna des économies substantielles, car le budget d'un hôpital est en grande partie lié au nombre de lits actifs : une diminution de lits entraîne donc une diminution de budget. Le principe est louable, mais il y a du sable dans l'engrenage, et ces réformes s'appliquent beaucoup mieux sur le papier que dans la réalité.

Ainsi, il est fréquent de voir des malades, âgés pour la plupart, revenir à l'urgence quelques jours seulement après une hospitalisation écourtée parce que les problèmes dont ils souffrent n'ont pas été réglés la première fois. Malheureusement, ces malades repartent à la case 0 et doivent de nouveau subir tout le processus .

Ces changements hâtifs associés aux compressions budgétaires occasionnent de sévères maux de tête aux médecins, car ils n'ont souvent pas d'autre choix que d'inscrire au bas de longues listes d'attente les cas nécessitant des chirurgies complexes mais non urgentes — communément appelées chirurgies électives —, par exemple les chirurgies cardiaques.

Je ne suis pas statisticien et je dois vous avouer que, même après douze années de travail à l'urgence, j'ai parfois du mal à comprendre tous ces chiffres et ces cheminements administratifs, étant donné que, selon moi, il n'y a pas de malades qui occupent des civières ou des lits inutilement dans nos hôpitaux. Comme médecin, j'ai parfois l'impression que les administrateurs se soucient de moins en moins de notre avis lorsqu'ils prennent des décisions et, malheureusement, nos revendications passent trop souvent aux yeux de la population pour des caprices ou de la petite politique. Ce qui est très frustrant dans tout cela, c'est de devoir mettre en balance des cas comme celui de cette jeune malade qui lutte pour survivre et les manœuvres souterraines qu'effectuent les administrateurs pour nous confier toutes les responsabilités. Et lorsque je parle de responsabilités, je ne pense pas à la responsabilité juridique, je pense à la responsabilité morale que je devrai assumer si cette femme de vingt-sept ans meurt; et ça, c'est beaucoup plus pénible à vivre qu'une poursuite.

Où sont-ils, cette nuit, les décideurs, les statisticiens, les fonctionnaires et les politiciens? Ils dorment sûrement et peut-être même qu'ils rêvent à une autre façon remarquable de rationaliser les soins de santé et d'économiser sur le dos des malades afin que les sphères administratives du régime de santé récupèrent tout cet argent; car, sachez-le, l'endroit où l'on a assisté à la plus forte augmentation de personnel dans le réseau de la santé, c'est au palier administratif: on a créé au Québec dix-huit régies régionales, alors qu'en Ontario il y en a dix pour une population qui est le double de la nôtre.

Le ministre de la Santé affirmait récemment que la qualité des soins était très bonne, qu'un sondage démontrait que la population était satisfaite des soins reçus à l'hôpital, que le seul problème résidait dans l'accessibilité à ces soins de santé. Mais voilà, le problème se trouve justement sur le plan de l'accessibilité : les gens qui ont accès aux soins sont satisfaits, d'accord, mais a-t-on interrogé ceux et celles qui attendent plusieurs mois pour être opérés d'un nodule ou d'une tumeur, ou pour recevoir des traitements de radiothérapie pour un cancer?

À mon avis, la qualité des soins est un tout, et l'accessibilité aux soins de santé fait intégralement partie de cet ensemble, elle en est indissociable. Comment peut-on dire que la qualité des soins est bonne si l'on ne peut y accéder? Ce serait comme de dire aux pauvres et aux sans-abri qu'ils n'ont pas de raison de se plaindre, car Montréal est une ville où l'on mange et où l'on se loge bien. En effet, selon un sondage mené auprès des clients fréquentant les restaurants et les hôtels de Montréal, on a démontré une grande satisfaction quant à la qualité des repas et des chambres. Démagogie, direz-vous? Je n'en suis pas si sûr.

J'en suis là dans mes réflexions quand l'infirmière m'appelle:

— Docteur, j'ai le chirurgien en ligne.

Je prends immédiatement le téléphone.

— Bonjour, pouvez-vous me dépanner? J'ai une jeune polytraumatisée qui a besoin d'être opérée d'urgence en CCVT (chirurgie cardiovasculaire et thoracique). J'ai appelé d'autres hôpitaux mais, faute de lit aux soins intensifs, ils ont refusé le transfert.

Le chirurgien me répond :

— Nous n'avons pas de lit nous non plus, mais expliquez-moi quand même votre cas.

Je lui décris les lésions et lui fais la liste des interventions chirurgicales que je crois nécessaires. Nous discutons brièvement puis il me dit :

— D'accord, transférez-la le plus rapidement possible à l'urgence. Je bloque une salle d'opération pour elle.

Enfin!

Branle-bas de combat! Il est sept heures et quart, il me faut une ambulance, une infirmière, un inhalothérapeute et un autre médecin, pour le transfert.

Le docteur Duquette sera ici dans trente minutes; c'est trop long, je ne peux plus tolérer aucun retard.

Je me dirige vers la civière numéro 28 dans le corridor et je réveille le docteur Dubuc, mon confrère qui a dormi là et à qui, pour calmer ses symptômes de gastroentérite, j'avais prescrit un soluté et du Gravol intraveineux, médicament efficace mais qui donne beaucoup de somnolence. Je le brasse énergiquement par les épaules, et il finit par ouvrir lentement les yeux. En me fixant, il me demande :

— Qu'est-ce que tu fais chez moi?

Puis il regarde autour de lui; ses neurones se réveillent un à un.

Je lui dis en souriant :

— Il a bien dormi, le gros bébé? Allez, je dois transférer une jeune polytraumatisée, et il faut l'accompagner dans l'ambulance. Crois-tu pouvoir le faire?

Il me regarde d'un air hébété, alors j'ajoute :

— Sinon, je peux le faire; tu n'auras qu'à me remplacer en attendant que Duquette arrive : il sera ici dans trente minutes.

Il continue à me fixer avec des yeux ronds.

— Un tour d'ambulance à 160 km/h, avec les nausées que j'ai, ce sera ma mort.

D'une main, je l'empoigne par l'épaule pour l'aider à s'asseoir sur le bord de la civière; de l'autre, je cesse la perfusion de Gravol afin qu'il s'éveille rapidement. Je me dis : « Tant pis pour ses nausées; s'il a des vomissements, ça le réveillera plus vite. »

— OK, c'est vrai, c'est préférable que tu restes ici. De toute façon, il n'y a que deux ou trois heures d'attente pour les petits cas, et tous sont de bonne humeur.

— Ah! bon, tant mieux! dit-il.

En me regardant arrêter la perfusion de Gravol, il ajoute :

— Tu es certain que je ne vomirai plus?

— Mais voyons, tu as l'air en pleine forme. Allez, viens!

Tout en l'aidant à marcher vers le poste, je lui explique :

— Il y a une jeune femme à voir, elle semble faire une menace d'avortement, mais elle est stable; et, dans la salle de cardio, il y a un homme qui a fait un infarctus antérieur, il a reçu de l'Activase, il va très bien.

Jacques est un colosse qui pèse au moins cent dix kilos. Étudiant, il a joué au hockey dans la ligue junior du Québec et il était plutôt bagarreur; on le surnommait d'ailleurs « Butch ». Ce passage dans le monde du hockey lui a laissé quelques cicatrices au visage et le nez cassé. Mais c'est un bon gars, toujours prêt à rendre service. En s'éveillant peu à peu, il dit :

— As-tu d'autres bonnes nouvelles à m'annoncer? J'espère au moins que le Canadien a gagné hier… Maudite job! je pense que je vais aller travailler à la Régie régionale ou au CLSC.

Il titube vers le poste de garde en s'appuyant sur la tige métallique à roulettes à laquelle est suspendu le sac de liquide clair. Une infirmière lui retire le cathéter intraveineux. Une autre journée qui commence. Je me dis : « Si Jacques bougonne, c'est qu'il est réveillé. »

Je retourne ensuite vers la salle de choc; Julie est toujours stable, sa pression reste au dessus de 100. L'époux a été avisé du transfert, son frère le conduira à l'autre l'hôpital, car son état émotif est très perturbé, il est donc hors de question de le laisser conduire son automobile.

L'infirmière, au téléphone, me dit, en recouvrant le récepteur d'une main pour qu'on n'entende pas notre conversation à l'autre bout du fil :

— C'est le service d'ambulance; ils me demandent si le transfert peut être retardé jusqu'à huit heures, sinon ils vont devoir payer des heures supplémentaires; il semble que les ambulances sont prises par d'autres cas.

Je sens la colère m'envahir. Je dis, en martelant mes mots :

— Il nous faut l'ambulance immédiatement. Dites-leur que notre cas est très urgent.

Pendant qu'elle explique le cas, je capte quelques bribes de conversation.

— Oui, oui, je sais, dit-elle en soupirant. Nous aussi, nous allons devoir payer un supplément à notre personnel, mais le docteur insiste, le cas est grave, je n'y peux rien.

En attendant l'ambulance, nous préparons le matériel nécessaire pour le transfert. Je vois mon confrère Jacques qui empoigne le dossier médical d'une personne qui attend dans un cubicule d'examen. Ce patient a été codé troisième catégorie, c'est-à-dire la moins urgente, il attend donc depuis trois heures d'être vu par un médecin. Jacques lit à haute voix, sur un ton mi-moqueur, mi-frustré, le résumé que l'infirmière du triage a fait dans le dossier :

— « Grippe depuis deux semaines », ça, c'est grave! Qu'est-ce qui peut bien être urgent cette nuit?

Il ouvre la porte en la poussant de la main gauche. On entend le grippé impatient de tout à l'heure dire : « Il était temps : ça fait trois heures que j'attends ici! » Jacques réplique :

— Bonjour, monsieur. Vous avez donc la grippe depuis deux semaines. Eh bien, ça fait maintenant deux semaines et trois heures (il insiste sur le « trois heures »). On s'excuse pour l'attente, on a eu un gros accident.

L'autre rétorque :

— Ça n'a pas de bon sens de laisser du monde attendre comme ça! On a le temps de mourir dix fois avant de voir un docteur. Engagez d'autres docteurs, faites quelque chose pour qu'on attende moins!

Avant de perdre patience — et la patience n'a jamais été sa plus grande qualité —, Jacques clôt l'incident d'un ton péremptoire :

— Monsieur, sachez que si vous attendez, c'est justement parce que les gens qui ont des problèmes graves passent avant ceux qui viennent ici pour des petits bobos. Suis-je assez clair?

Sur ce, la porte se referme.

En moi-même, je me dis qu'il y a des gens bien égoïstes et qui ne voient pas plus loin que le bout de leur nez. Toujours prêts à critiquer le système, ces gens ont la recette facile, à condition bien sûr que cela ne fasse pas appel à leur porte-monnaie. Or, le quotidien d'un service d'urgence, c'est le viol, les enfants malades ou maltraités, les accidents, la mort aussi et toutes les émotions que vivent les familles dans le drame.

La dernière fois qu'un patient a porté plainte contre moi, c'était un cas semblable à celui-là. Nous venions de recevoir un enfant de deux ans qui s'était noyé dans le bain, triste accident dû à quelques secondes d'inattention de la part des parents. Pendant que le bain se remplissait, l'enfant avait réussi à monter sur le bord de la baignoire et était tombé dedans.

Le bruit de l'eau coulant des robinets avait amorti celui des clapotis de l'enfant qui se débattait, et les parents n'avaient rien entendu. Lorsqu'ils l'avaient trouvé, il gisait in-conscient sous l'eau. L'enfant nous était arrivé en arrêt cardiaque, nous l'avions réanimé puis transféré d'urgence dans un centre universitaire.

De retour du transfert, je me sentais fier d'avoir réussi à faire battre de nouveau le petit cœur, et je me disais que les dommages au cerveau ne seraient peut-être pas trop graves; on ne sait jamais, les enfants récupèrent parfois de façon incroyable. Quelques minutes après mon retour, je reçus un appel du médecin spécialiste à qui je venais de transférer l'enfant et qui m'apprit que ce dernier était mort quelques minutes plus tôt d'une anoxie cérébrale sévère. Cette annonce nous avait tous frappés de plein fouet, car nous avions gardé un espoir. J'étais ensuite entré dans un cubicule, où j'avais été reçu par une femme très en colère parce qu'elle avait attendu près de quatre heures. Le regard chargé de flèches empoisonnées, elle me dit : « Ici, on est moins bien traités que chez le vétérinaire », phrase fréquemment employée par les gens irrités par l'attente. Tout en regardant son dossier, je lui demandai ce qui n'allait pas. Elle me répondit d'une façon agressive :

— Ce qui ne va pas? Vous n'êtes pas capable de lire mon dossier? J'ai la grippe, je ne suis pas capable de travailler (elle était professeur) et je suis écœurée d'attendre ici, on est traités comme des chiens.

Devant l'intensité de sa réaction, je me tus et je l'examinai; comme elle n'avait rien de grave, je lui recommandai de prendre de l'acétaminophène et de boire du jus d'orange.

— C'est tout? Ça veut dire que j'ai attendu quatre heures pour rien? s'exclama-t-elle.

— Non, madame, vous avez attendu quatre heures pour vous faire dire que vous n'aviez rien de grave, ce n'est pas la même chose.

Elle me demanda alors un billet d'arrêt de travail pour une semaine, que je lui refusai. Elle me regarda droit dans les yeux et me dit :

— Nous sommes mieux traités chez le vétérinaire, maintenant j'en suis convaincue.

Je lui répondis du tac au tac :

— Je vous comprends. Vous n'aurez qu'à aller chez le vétérinaire la prochaine fois.

Est-il besoin d'ajouter qu'elle s'est dirigée droit vers le bureau du directeur des services professionnels pour porter plainte?

Avec les années, j'ai appris à mieux contrôler ces situations. Un de nos professeurs nous disait que les réponses à plusieurs de nos questions se trouvaient souvent dans l'observation de la nature. En appliquant ce principe, j'ai développé des techniques de contrôle «psychodynamique» de mon moi face aux agressions de la race humaine.

Par exemple, avec certaines personnes, il faut être comme le canard que l'eau coulant sur son plumage laisse indifférent (principe du canard), ou bien il faut adopter l'attitude de la tortue agressée qui se cache dans sa carapace (principe de la tortue) ou encore celle de l'huître qui se referme lorsqu'elle est attaquée (principe de l'huître).

Je sais que je suis loin des théories et méthodes psycho-dynamiques freudiennes, mais ces principes fonctionnent admirablement. De plus, au service des urgences, il vaut mieux en avoir au moins trois, car on aurait vite fait de rendre un de ces pauvres animaux inutilisable pour cause d'épuisement total (*burn-out*). En abdiquant et en laissant gueuler les impatients, je me sauve de beaucoup d'explications stériles et de lettres d'excuses. Lettres qui ne servent généralement qu'à acheter la paix et à empêcher que le nom de l'hôpital et celui du médecin soient traînés dans la boue. De plus, les gueulards sont souvent soulagés comme par enchantement après une bonne séance de défoulement; parfois, même, ils deviennent polis; de quoi amener Freud à se retourner dans sa tombe!

L'ambulance arrive enfin. Rapidement nous transférons Julie sur la civière de transport et nous pénétrons dans le véhicule; l'espace est restreint, nous nous serrons autour de notre patiente. Le puissant moteur diesel de l'ambulance assourdit le bip régulier du moniteur cardiaque. La condition de Julie est stable, la cinquième transfusion est en cours. Il est sept heures quarante minutes lorsque nous quittons l'urgence.

Je sens un filet de parfum qui se dégage du cou et des épaules de la jeune femme; certainement les restes du parfum qu'elle a appliqué avant d'aller travailler ce matin. On ne sait jamais ce que le destin nous réserve.

À 160 kilomètres à l'heure, dans la lourde circulation matinale, nous louvoyons entre les autos et les camions, qui se rangent sur le côté de la route, alertés par les lamentations de la sirène, qui me rappellent les cris des baleines au large de Tadoussac.

Dans les cahots de la route, je m'efforce de remplir le dossier médical, recueil indispensable des interventions des deux dernières heures. Dans quelques centaines d'années, ce gribouillis illisible sera de nature à donner de fortes migraines aux plus grands déchiffreurs de hiéroglyphes, qui concluront probablement à un texte provenant de la Mésopotamie ou de l'Égypte du Moyen Empire.

Quelques minutes plus tard, nous arrivons à l'hôpital universitaire et transportons Julie à la salle de réanimation. En croisant un corridor, j'entrevois une longue série de civières, sur lesquelles des malades attendent; certains, assis, observent comme des badauds l'action qui se déroule autour d'eux, d'autres tentent tant bien que mal de dormir sous l'éclairage verdâtre des néons. Toutes ces civières collées les unes aux autres me font penser à un convoi ferroviaire immobile dans une gare de triage où chaque wagon attend sa destination avec son précieux chargement humain.

À la salle de réanimation, nous sommes accueillis par une infirmière à l'air sévère.

Je commence à lui raconter l'histoire de Julie, mais elle m'interrompt aussitôt :

— Vous expliquerez tout ça aux chirurgiens; ils s'en viennent.

En attendant, elle s'affaire à ouvrir un dossier, et moi, je réexamine Julie, dont la condition demeure stable. Je regarde la salle de réanimation : à peu de choses près, elle ressemble à la nôtre, mais l'espace y est plus restreint…

Le docteur Poulin, résident de deuxième année en chirurgie générale, arrive enfin ; il est blême, ses traits révèlent un manque flagrant de sommeil, ses épaules semblent mal tolérer le poids de son sarrau, dont les poches débordent d'instruments divers qui rappellent les accessoires de torture de l'époque médiévale : stéthoscope, marteau à réflexes, roulette métallique à aiguilles pointues servant à déterminer les déficits sensitifs lorsqu'il y a rupture de la moelle épinière. Il y a aussi des livres et des bouts de papier, mémos et recettes médicales pour différents traitements, juste au cas où la mémoire serait court-circuitée par la fatigue, qui a le même effet sur le cerveau que l'eau de mer sur les fragiles terminaisons électroniques d'un ordinateur.

Je lui décris l'histoire de Julie, qu'il note à l'aide d'un stylo sur la feuille de transfert. Puis il me pose quelques questions, et nous faisons rapidement le tour de l'accident et de l'intervention. Lorsqu'il en a terminé avec ses questions, il tente avec difficulté de remettre le bic dans sa poche de devant, mais le stylo engage alors une bagarre avec la roulette à aiguilles, il se débat, crache un peu d'encre qui barbouille le sarrau et trouve enfin un petit trou où il se cache, non sans que la roulette pique à quelques reprises les doigts du docteur pendant qu'il baragouine quelque chose d'incompréhensible tout en suçant son pouce qui saigne.

Il s'excuse en me demandant de me reculer un peu, question de lui laisser de l'espace afin d'examiner Julie.

Dans les secondes qui suivent arrivent trois autres étudiants, qui semblent moins fatigués que le premier; ils sont de diverses spécialités chirurgicales, sans doute de rang un peu plus élevé dans la hiérarchie. Je réexplique l'histoire, mais ils prêtent une oreille peu attentive à mon discours, ce qui m'irrite un peu. Je me recule encore pour leur laisser plus de place, afin qu'ils examinent eux aussi Julie tout en discutant avec le docteur Poulin.

Puis surviennent en coup de vent les grands patrons chirurgiens accompagnés de un ou de deux étudiants en surspécialités. Ils ne me prêtent aucune attention et ne m'adressent même pas la parole. Ils discutent à leur tour avec le second groupe. Pour leur faire un peu d'espace, je dois encore une fois me reculer, je suis maintenant bien malgré moi près de la porte. Mon infirmière, l'inhalothérapeute et les ambulanciers ont quitté la salle depuis longtemps; il ne me reste qu'un pas à franchir, et je serai moi aussi dans le corridor.

J'essaie de nouveau de raconter l'histoire de Julie, mais je m'arrête à la deuxième phrase, car personne ne m'écoute. Il y a tellement de monde qui se bouscule que je ne vois même plus la jeune femme.

À tour de rôle, ils l'examinent, discutent entre eux, élaborent la stratégie opératoire à adopter; un étudiant surspécialisé demande combien de transfusions Julie a reçues.

Le docteur Poulin répond aussitôt; il m'avait déjà posé cette question. Il est maintenant juste à côté de moi; lui aussi a été repoussé par cette espèce de force centrifuge qui déplace les premiers arrivés vers l'extérieur de la pièce.

Il est décidé que Julie ira d'abord à la salle d'angiologie, où on vérifiera les dommages subis par ses gros vaisseaux sanguins; puis elle ira au scanner cérébral; s'il n'y a pas de dommages aigus au cerveau, elle sera immédiatement opérée par l'équipe de chirurgie cardiaque et thoracique. Les chirurgiens de l'abdomen traiteront simultanément les dommages au foie, à la rate et à l'estomac; puis ce sera au tour des orthopédistes de s'attaquer aux multiples fractures.

Même si je n'ai pas un mot à dire dans ces interventions, même si on m'a « un peu » exclu de la salle, je suis très satisfait de la rapidité avec laquelle les décisions ont été prises. Tout ce qui compte, c'est de sauver Julie; le reste n'est que détail. Avec les années, on apprend à ne plus prêter attention à ces indélicatesses.

Quelques minutes plus tard, l'équipe multidisciplinaire est repartie; il reste dans la pièce l'infirmière, l'inhalothérapeute et deux jeunes médecins, étudiants en chirurgie, dont le docteur Poulin : ils accompagneront Julie pour les examens.

Je quitte la salle et lance un dernier regard à ma patiente : pour traverser les prochaines heures, elle aura besoin de chance!

Je retourne au quai d'embarquement des ambulances, où l'équipe de transfert m'attend. Au passage, devant la salle d'attente bondée, j'entends un bénéficiaire qui engueule l'infirmière du triage : « Le système est pourri! »

L'ambulancier me demande comment ça s'est passé.

— Très, très bien, elle est restée stable; ils l'opéreront d'ici soixante minutes au plus.

Nous quittons les lieux au moment où trois autres ambulances arrivent à fond de train vers le quai.

Pendant le trajet du retour, je ressens une grande fatigue. Depuis vingt-quatre heures, mes glandes surrénales ont craché toutes leurs réserves d'adrénaline disponibles; tout à coup, sans prévenir, mes forces ont disparu, ma tête flotte dans un état d'apesanteur, j'ai de la difficulté à la tenir appuyée au mur rembourré du camion, mes bras sont comme deux guenilles suspendues à une corde à linge, mes jambes ont le tonus des algues qui se bercent au fond de l'océan.

Les autres sont muets, ils regardent le plancher et semblent hypnotisés par les petits triangles et les rainures du revêtement de sol bleuté de l'ambulance. Soudain, je me sens furieusement affamé : après tout, cela fait plus de seize heures que je n'ai rien mangé. Je m'exclame alors sur un ton de voix beaucoup trop élevé :

— Dites donc, un grand café et un beigne au chocolat, ça vous dirait?

Tous sursautent et sortent de leur léthargie.

— Oui, c'est une vlimeuse de bonne idée! répond Gaétan, un ambulancier expérimenté dans la cinquantaine, un peu bedonnant. Et, docteur, pourquoi pas deux beignes? À condition que personne ne le dise à ma femme.

Jacques, son confrère, continue d'un air moqueur :

— Eh bien! on voit qui porte les culottes chez vous, mon gros Gaétan!

Nous rions tous.

Nous nous offrons cette récompense, qui nous permet de discuter un peu et de prendre du recul par rapport aux événements de la nuit, avant de rentrer à l'hôpital.

Lorsque j'arrive à l'hôpital, deux messages m'attendent dans mon casier. Le premier est de la part de la représentante des plaintes, qui m'annonce que le grippé grognon de la nuit dernière a tenu parole : il a porté plainte contre moi. Le deuxième est de la part du directeur des services professionnels, qui aimerait savoir si Julie avait vraiment besoin d'être transférée avant huit heures, car ces trente minutes « d'avance » l'obligent à payer une période minimale de quatre heures supplémentaires à toute l'équipe de transfert.

Vers onze heures je suis chez moi, étendu sur une causeuse trop courte, la tête basculant à l'arrière, les pieds dans le vide. Je repense à cette nuit, je repasse toutes les étapes de la réanimation. Le cas de la plainte et celui du transfert d'urgence seront réglés ultérieurement. J'ai réussi à ne pas m'emporter à ce sujet, bien qu'encore une fois cela démontre une surveillance de plus en plus grande de la part de l'administration. Ce qui est souvent décourageant.

En situation d'urgence, le médecin est le seul responsable de son malade; l'évaluation, la prise de décision et la rapidité avec laquelle il entreprend un traitement sont des éléments clefs dans sa lutte contre la mort. Nos prises de décision ne devraient jamais être subordonnées à des facteurs administratifs, car notre travail consiste à sauver des malades. Je préfère un médecin qui en fait trop à un médecin qui n'en fait pas assez. La façon d'agir des fonctionnaires est très subtile et elle peut devenir dangereuse, surtout pour le jeune médecin dont la carrière débute et qui est plus perméable aux doléances des administrateurs.

Il est malheureux de constater que, lentement mais sûrement, les pressions administratives font leur chemin en délestant les fonctionnaires de toute responsabilité face aux malades.

En feuilletant le *Journal de Montréal*, je tombe sur la chronique de Michelle Coudé Lord, qui nous annonce que l'hôpital où j'ai transféré Julie a été réprimandé par la Régie régionale de la santé et des services sociaux parce que le nombre de malades sur civière y dépasse largement les quotas fixés par le Ministère; aussi son budget sera-t-il probablement amputé de 300 000 $ si l'hôpital ne corrige pas rapidement la situation. Par contre, les administrations de deux autres hôpitaux (dont l'un m'a refusé le transfert de Julie) ont reçu des félicitations pour avoir amélioré leurs statistiques au service des urgences.

Je n'en reviens pas, c'est le monde à l'envers! Je m'assoupis en me disant que peut-être le fait de se trouver dans un corridor d'urgence ne constitue qu'un moindre mal, car bientôt ça pourrait devenir une chance exceptionnelle d'avoir accès à l'une de ces civières.

Vers dix-sept heures, je m'éveille un peu courbaturé. Mon premier réflexe est d'appeler à l'hôpital où j'ai transféré Julie. Le médecin de garde aux soins intensifs me dit que l'opération a duré six heures; la jeune femme avait effectivement une rupture à l'aorte et de multiples hémorragies aux viscères de l'abdomen. En ce qui concerne le cerveau, rien de majeur, mais il faudra attendre quelques semaines avant d'avoir une idée de l'étendue des dommages causés par la commotion cérébrale.

En raccrochant, je me dis : « Bon travail! Maintenant, c'est le temps d'aller se délier les muscles. » L'activité physique est ma soupape contre le stress; pour moi, c'est une drogue, je ne peux m'en passer. J'enfile mes chaussures de course et je vais faire mon parcours habituel de huit kilomètres sur le mont Saint-Hilaire; ce circuit me mène à un sommet nommé Dieppe, comme la ville de Normandie où a eu lieu le fameux débarquement des Alliés pendant la Deuxième Guerre mondiale. J'aime courir dans la montagne, car tous mes sens sont alors en action; dans les sous-bois, les odeurs de pin se mélangent à celles des champignons, des fleurs sauvages et des fougères pour donner le plus fantastique parfum, qui revivifie mes poumons et les nettoie de toute la pollution.

Le sentier fait des zigzags comme une couleuvre et grimpe la montagne en plusieurs paliers jusqu'à une altitude d'environ trois cent soixante-quinze mètres; ces paliers me permettent de reprendre mon souffle après chaque montée.

Ce parc étant un refuge faunique, il m'arrive fréquemment de croiser des chevreuils sur ma route ou de voir des canards se baigner dans les petits étangs qui bordent le sentier. Parfois, le contact avec la nature me met dans des situations bizarres : un jour, je me suis retrouvé nez à nez avec une mère raton laveur, une « ratonne », qui se promenait avec ses deux petits. Surprise par mon arrivée subite, la mère s'est alors dressée sur ses pattes postérieures et, son poil tout hérissé, elle a grondé très fort; peut-être avait-elle vu le dernier reportage du canal Discovery sur les grizzlys d'Alaska car, dans un geste de bravoure, elle s'est ensuite lancée à ma poursuite en grognant; ses deux petits l'ont imitée et se sont mis à courir derrière moi eux aussi.

Malgré l'accélération de mon pas de course, qui commençait à me donner l'allure d'un Ben Johnson aux Jeux olympiques de Séoul, la famille me poursuivait toujours; d'ailleurs, je ne croyais pas que des ratons laveurs puissent courir aussi vite. Pour mettre fin à ce cirque, je dus saisir une branche, me retourner et taper sur le sol en criant, ce qui eut l'effet d'un électrochoc sur la mère, qui bifurqua subitement dans la forêt, suivie de ses deux moussaillons.

Arrivé au sommet, je m'allonge sur les grosses roches plates de granit et je fais des exercices afin d'assouplir mes muscles, sous les rayons de soleil de la fin d'octobre, qui s'étirent et tentent de s'agripper à la terre le plus longtemps possible, sans doute dans le but de retenir l'été.

Tout en admirant le paysage, je réfléchis à cette trop longue nuit qui ne m'a pas encore quitté; j'essaie de la décortiquer, de voir si j'aurais pu être plus efficace, s'il y a des choses à améliorer dans ma pratique ou mon attitude envers les gens. Décidément, la médecine ne nous lâche pas facilement. J'ai la vague impression de n'avoir pas été à la hauteur, je ressens un sourd malaise viscéral, une sorte d'insatisfaction intérieure qui me hante, qui me dit que j'aurais peut-être pu en faire plus; tous ces délais de transfert auraient peut-être été évités si j'avais été plus directif ou même agressif face aux médecins qui m'ont refusé le transfert. Mais à quoi cela aurait-il servi, sinon à me faire des ennemis?

Le système de transfert des patients n'est pas uniforme partout au Québec; certaines régions jouissent d'affiliations entre hôpitaux généraux et hôpitaux universitaires, ce qui semble diminuer les interminables périodes d'attente et les discussions téléphoniques stériles. Assis sur mon bloc de granit, je pense aux diverses procédures administratives qu'il faut surmonter pour parvenir à faire des changements dans le système de santé. Il faut dépenser beaucoup d'énergie et passer de nombreuses heures supplémentaires non rémunérées à discuter avec des fonctionnaires ayant différents titres et placés à divers échelons dans le réseau. Même si nous proposons une idée excellente, il faudra plusieurs mois de réunions, et la formation de comités, de sous-comités et de sous-sous-comités pour en arriver aux changements désirés.

Il y a quelques années, j'étais chef d'une unité de soins intensifs dans un hôpital général. Le gouvernement de l'époque nous avait accordé un budget de deux millions de dollars pour agrandir le service et augmenter le nombre de lits aux soins intensifs et coronariens. Pendant près de deux ans, j'ai participé à des réunions hebdomadaires avec différents intervenants, nous avons formé plusieurs sous-comités qui avaient des fonctions diverses, allant de l'essai du matériel, des soumissions et de l'achat des différents équipements électroniques — tels les moniteurs cardiaques, dont le prix était de 400 000 $ —, en passant par l'achat de lits spécialisés, jusqu'à la vérification des plans et devis des architectes. Mon premier étonnement fut de constater que, dans ce projet, plusieurs personnes étaient grassement payées et faisaient mal leur travail. Ainsi, j'ai découvert un certain nombre d'omissions et d'erreurs dans les plans : on avait oublié d'installer au moins une douche pour les dix malades, on n'avait pas pensé à une salle de bain pour le personnel, et les lavabos des chambres avaient été placés du mauvais côté de la porte, ce qui aurait empêché le libre déplacement des lits entre le corridor et les chambres. Des détails, me direz-vous. Tout de même, c'est gênant quand c'est un médecin qui s'en aperçoit!

Première frustration : j'ai participé pendant deux ans à des réunions avec des fonctionnaires bien rémunérés et qui avaient un compte de dépenses pour faire ce travail, alors que moi, comme médecin, je n'avais aucune rémunération ni budget personnel; d'ailleurs, je n'en avais pas davantage comme chef de l'unité des soins intensifs ni pour vaquer à mes tâches administratives, car ces tâches supplémentaires attribuées aux médecins dans un hôpital ne sont pas rémunérées. « Bof, me disais-je, je fais un bon salaire, c'est ma charge sociale, mon bénévolat pour améliorer l'hôpital; et lorsque ce sera terminé, ce sera tellement agréable de travailler dans cette nouvelle unité! »

Ainsi, en faisant une gestion serrée, nous avons réussi à acquérir tout l'équipement électronique en économisant 75 000 $; ce montant, je voulais le réinjecter dans l'achat de deux nouveaux respirateurs mécaniques, car nos modèles étaient vétustes, voire même dangereux pour les malades. Deuxième frustration, la Régie régionale nous a refusé ce transfert d'argent, qui devait absolument être dépensé en achat d'équipement électronique, sinon nous le perdions. Le comité décida par conséquent d'acheter des moniteurs cardiaques haut de gamme, du genre « Mercedes » de la technologie, et deux appareils pour enregistrer des électrocardiogrammes, achats qui, à mon avis, n'étaient pas essentiels et arrivaient bien loin derrière la priorité des deux respirateurs, lesquels auraient été un excellent investissement pour la communauté. Partout, les administrateurs de la santé fonctionnent en ayant des budgets réservés à certains projets; c'est ainsi que l'on peut se permettre des dépenses souvent inutiles dans un hôpital, comme le réaménagement et la redécoration des locaux administratifs, alors que le même hôpital accumule des déficits qui se traduisent en fermeture de lits et en réduction de personnel auprès des malades; mais les administrateurs continuent de nous répéter la même chanson : « C'est un autre budget, ça n'a rien à voir avec le déficit. » Sauf qu'en fin de compte l'argent vient toujours des taxes et impôts, et qu'il sort donc des poches des contribuables.

Ma troisième frustration, et non la moindre, fut que, six mois après l'ouverture de cette unité de soins intensifs qui était agréable et parfaitement fonctionnelle, un nouveau gouvernement fut élu, et la Régie régionale reçut l'ordre du Ministère de fermer cette unité de soins intensifs et de la réaménager dans un autre hôpital, situé à quelques kilomètres du nôtre. De quoi en perdre son latin et ses illusions!

Au moment de la formation des régies régionales, on nous avait annoncé une décentralisation des pouvoirs, ce qui devait en principe accélérer les prises de décisions.

Or, avec la création de ces dix-huit régies régionales, le nombre de fonctionnaires et les budgets administratifs ont augmenté de dix pour cent, en même temps que l'on diminuait tous les budgets alloués à la santé et, par le fait même, le nombre de personnes intervenant directement auprès des malades.

À mon avis, cette augmentation du nombre de fonctionnaires ralentit les prises de décisions importantes au lieu de les accélérer.

Ce qui est désarmant, c'est que cette façon de faire écarte de plus en plus les médecins des prises de décisions. Car comment un médecin qui a un horaire de cinquante à soixante heures de travail par semaine, des gardes alternant sur trois quarts de travail, vingt-quatre heures par jour, une fin de semaine sur deux, jours fériés ou non, et ce, trois cent soixante-cinq jours par année, comment pourrait-il ce médecin participer à des réunions pendant ses périodes libres (je ne parle même plus de journées libres) avec des fonctionnaires bien rémunérés, qui aiment s'entendre parler, et qu'il le fasse de façon tout à fait bénévole, pour en venir au bout du compte à des conclusions comme celles que je viens de vous exposer? Personnellement, je suis désillusionné face à cette bureaucratie, et je n'ai plus l'intention de participer à aucun de ces comités, où notre présence en tant que médecins sert surtout à légitimer des décisions souvent prises depuis longtemps : « Un médecin faisait partie du comité », dit-on pour justifier certaines décisions. C'est malheureux, je le sais, car cette défection va laisser plus d'espace et de pouvoir aux fonctionnaires. Autrefois, on disait que les médecins avaient trop de pouvoir (je n'ai pas connu cette époque); maintenant, le balancier s'en va de plus en plus du côté des hauts fonctionnaires, et j'ai de forts doutes quant à la conclusion de cette période.

Voilà! Il est tard, je commence à grelotter, il faut que je parte, car la nuit a été longue. Ma séance de défoulement terminée, je redescends la montagne. Je me sens mieux.

J'ai quand même décidé d'écrire une lettre au directeur des services professionnels pour tenter de régler ce problème de transfert de patient. J'entends déjà sa réponse : «Bonne idée, Robert, on va former à l'hôpital un sous-comité qui rédigera un rapport pour le comité d'intervention de la Régie régionale; je suis certain que cette idée va les intéresser.» Eh oui! Tant que ma flamme et ma passion pour ce métier tiendront le coup, je vais continuer à y mettre mon grain de sel. Mais je comprends très bien que les médecins qui pratiquent dans les services des urgences soient démotivés car, en plus du stress, des horaires, des compressions budgétaires, si vous voulez participer à l'amélioration de la qualité des soins, vous devez faire face à cette invention diabolique que sont les «comités».

Quelques données au sujet des urgences (tirées en partie du rapport du Groupe tactique d'intervention : *Les urgences au Québec, 1990-1997*)

Le problème de l'engorgement des urgences au Québec est apparu dans les années 1970. Au fil des ans, le problème s'est aggravé et, en 1984, on parlait déjà de situation « critique », « explosive », « intenable ». (Je l'ai vécu car, en 1982, j'étais atteint d'une leucémie et j'étais l'un de ces malades obligés d'attendre dans un corridor d'un grand hôpital : voir *Survivre à la leucémie*, Montréal, Éditions Québec Amérique, 1997.)

1. Combien de temps devriez-vous attendre à l'urgence?

Le premier contact que vous aurez avec l'urgence sera avec l'infirmier ou l'infirmière du « triage ». Le triage doit être rapide, moins de cinq minutes en moyenne; il attribue un code de gravité au cas examiné, code qui détermine si le malade sera transféré sur une civière ou s'il retournera dans la salle d'attente.

Plusieurs modèles de code définissant la gravité du cas sont utilisés. Voici celui qui est proposé par le Ministère :

Code 1 : doit être vu immédiatement; ce code est attribué à une personne souffrant d'une maladie qui peut entraîner la mort à court terme, par exemple un polytraumatisé grave, un malade cardiaque ou pulmonaire, quelqu'un qui a subi des pertes sanguines importantes, des réactions allergiques graves, etc.

Code 2 : doit être vu dans les vingt minutes; il est attribué aux cas sérieux, mais dont l'état est moins grave que ceux à qui on a attribué un « code 1 ». Dans cette catégorie, on trouve les malades dont les signes vitaux (tension artérielle, pouls, température) sont stables; par exemple, les gens qui ont des douleurs abdominales ou thoraciques, de la toux, des infections diverses, etc.

Code 3 : doit être vu dans les deux heures. Ce sont tous les autres cas : les enfants qui font de la fièvre, les cas de traumatismes et de plaies mineurs, etc. Bien sûr, la période de deux heures est très variable, car elle dépend du nombre de cas codés 1 et 2. Les malades codés 1 et 2 sont prioritaires, et leurs problèmes nécessitent souvent une stabilisation qui demande plusieurs minutes, voire même plus d'une heure, ce qui prolonge le temps d'attente des malades codés 3.

Code 4 : peut être orienté ailleurs. Ce code est attribué aux gens qui ont des problèmes médicaux ne nécessitant pas une consultation immédiate en urgence. Lorsque le service des urgences n'est pas très occupé, certaines personnes préfèrent parfois tout de même attendre pour une consultation avec le médecin. Malheureusement, la situation change rapidement à l'urgence, et certains sont déçus; c'était le cas de notre malade impatient de la nuit dernière, qui souffrait d'une grippe depuis deux semaines. Cet homme aurait dû consulter dans une clinique privée ou un CLSC; le peu de gravité de son cas et l'ancienneté de ses symptômes ne justifiaient pas qu'il passe avant des malades dont le code d'évaluation était supérieur.

D'autres font le choix d'attendre mais, si l'attente s'avère trop longue, ils repartent avant d'avoir été vus par le médecin; mais sachez qu'il en coûte plus de 110 $ à la société pour le triage et l'ouverture d'un dossier dans un hôpital.

2. Pourquoi y a-t-il plus de malades à l'urgence?

Le nombre de malades ayant séjourné sur des civières dans les urgences a augmenté de huit pour cent depuis 1990; il a été d'environ 739 000 en 1996 et 1997. De ce nombre, près de cinquante pour cent ont été hospitalisés après leur passage à l'urgence. Ce qui démontre que le service des urgences devient de plus en plus la porte d'entrée pour recevoir des soins de santé.

Le nombre de personnes âgées de plus de soixante-quinze ans qui se sont retrouvées sur des civières a augmenté de près de vingt pour cent. Ces personnes qui se présentent à l'urgence nécessitent des soins adaptés à leur situation; elles ont souvent des besoins médicaux et sociaux particuliers. Pour les gens en perte d'autonomie, le soutien à domicile, les soins prolongés ou adaptés doivent nécessairement être disponibles, ce qui n'est pas toujours le cas, si l'on veut réduire la durée du séjour de ces personnes à l'hôpital.

Après les gens âgés, ce sont les malades psychiatriques qui constituent la clientèle qui séjourne le plus longtemps à l'urgence.

En moyenne, vingt pour cent des patients couchés sur des civières attendent plus de vingt-quatre heures avant d'être hospitalisés ou retournés à la maison; ce sont pour la plupart des gens âgés et des malades psychiatriques.

Le Ministère a pour volonté de fermer la moitié des lits destinés aux malades psychiatriques d'ici l'an 2002. Ce désir du Ministère est inquiétant, car si les ressources multidisciplinaires adéquates ne sont pas disponibles dans la communauté, le nombre de consultations psychiatriques au service des urgences va sûrement augmenter de façon importante. Le simple fait d'obliger les patients à payer une partie des coûts des médicaments a provoqué une augmentation du nombre de consultations psychiatriques de plus de trois cents pour cent, car plusieurs malades psychiatriques ont cessé de prendre leurs médicaments.

Notons que plusieurs études et commissions ministérielles ont tenté d'améliorer la situation au fil des années, ce qui a été fait en partie; ainsi, en 1985, la durée moyenne de séjour était de vingt-huit heures; en 1990, elle avait diminué à vingt-deux heures et, en 1997, elle est d'environ quatorze heures, ce qui constitue une amélioration de cinquante pour cent.

Cependant, cette amélioration est annulée en partie par le fait que le nombre de consultations a augmenté. Elle démontre tout de même une nette augmentation de la performance des urgences, malgré des compressions budgétaires, des restrictions de personnel et des diminutions du nombre de lits dans les hôpitaux.

À mon avis, nous avons atteint la limite maximale de performance que l'on peut exiger des travailleurs de la santé qui sont au « front », c'est-à-dire dans les urgences. Si des compressions budgétaires devaient encore venir, ou si la charge de travail augmentait pour diverses raisons, la situation dans les urgences deviendrait intolérable pour le personnel qui y travaille.

3. Les médecins à l'urgence font-ils de gros salaires?

Les médecins travaillant au service des urgences sont payés à l'acte, c'est-à-dire qu'ils reçoivent un montant pour chaque intervention. Dans un cas de réanimation comme celui de Julie la nuit dernière, le premier quart d'heure est payé 78 $, les quarts d'heure suivants sont payés 16,85 $.

La convention nous interdit de facturer tout autre acte accompli pour le patient réanimé ou pour tout autre malade vu pendant une réanimation. Ce qui signifie que l'intubation et la pose du drain thoracique, dans le cas de Julie, étaient inclus dans l'acte de réanimation, et que je n'ai pas été payé pour les malades que j'ai vus en même temps, tels le bébé qui avait une otite et l'homme ayant fait un infarctus.

En ce qui concerne le transfert en ambulance, il est payé 65,20 $. Au total donc, la réanimation et le transfert de Julie, les traitements du bébé et du malade souffrant d'un infarctus m'ont donné 227 $.

Notez également que le médecin ne bénéficie d'aucune convention collective; il n'a donc droit à aucun congé payé pour cause de maladie, de maternité ou d'enseignement.

Une mince partie du coût de l'assurance-responsabilité est remboursée par l'État. Les frais pour les assurances et l'adhésion aux diverses corporations médicales s'élèvent à 7 000 $ par année, environ; ils sont payés par le médecin.

Pour votre curiosité, voici quelques actes médicaux et les tarifs qui les accompagnent:

Examen simple (examen pour otite, mal de dos...): 10 $.

Examen complet (examen d'un cas plus grave, par exemple un malade qui arrive en ambulance, un accidenté, une personne souffrant d'une pneumonie): 21 $.

Examen psychiatrique: 21 $.

Extraction d'un corps étranger dans l'œil: tarif variant de 5,45 $ à 16 $ selon la gravité.

Extraction d'un corps étranger dans le nez: 10,80 $.

Extraction d'un corps étranger dans les oreilles: 19,15 $.

Réparation de plaies: au visage, 20 $ le premier centimètre et 8,30 $ les centimètres suivants;

— En ce qui concerne les autres localisations sur le corps: 13 $ pour le premier centimètre et 3,65 $ pour les centimètres suivants.

Fabrication d'un plâtre: 30 $.

Tamponnement par mèche pour un saignement de nez : 10,65 $.

Un nouveau mode de rémunération est présentement envisagé pour les médecins d'urgence, car la complexité des cas a mené au fil des ans à une diminution progressive du salaire de ces médecins. Leur salaire actuel ne correspond plus aux responsabilités et à la lourdeur des horaires de travail.

4. Pourquoi attendons-nous si longtemps parfois avant d'avoir une ambulance?

Malgré l'augmentation astronomique des budgets alloués aux services préhospitaliers, la qualité de ces services ne s'est pas améliorée de façon proportionnelle. En 1976, le budget alloué aux services d'ambulance était de deux millions; en 1991, il s'élevait à cent soixante-dix millions et, en 1998, il avait franchi le cap des deux cents millions, soit cent fois plus qu'en 1976.

Le coût moyen d'un transport en ambulance est de 400 $.

Sur le nombre total de transports en ambulance, on note que :

— seulement cinq pour cent sont pour des cas nécessitant des soins préhospitaliers avancés;

— environ quinze pour cent sont des transports de cas nécessitant des soins de base;

— la grande majorité des transports, soit quatre-vingts pour cent, ont lieu pour des cas ne nécessitant aucun soin préhospitalier.

Il est clair que les véhicules d'ambulance coûteux et bien équipés sont mal utilisés; ils ne devraient pas servir à déplacer simplement une personne d'un lieu à un autre. Un second type de véhicules adaptés au simple transport pourrait très bien combler cette demande, ce qui laisserait les ambulances à leurs véritables tâches d'urgence.

La plus grosse partie des budgets est allouée afin d'améliorer les interventions auprès des cinq pour cent de cas
majeurs nécessitant des soins préhospitaliers avancés.
Mais ces améliorations se font toujours attendre, car
l'argent est englouti par l'ensemble du système préhospitalier, et donc grandement utilisé pour le simple
transport de patients.

Source : *Études sur les services préhospitaliers d'urgence
au Québec*, ministère de la Santé et des Services sociaux,
1992.

Chapitre 2

Les jeunes à l'urgence

Deuxième nuit de garde. Elle n'est pas particulièrement occupée, moins qu'hier en tout cas. Vers minuit, je diagnostique une pneumonie chez un enfant de deux ans. Je décide d'hospitaliser l'enfant; il aurait certainement pu retourner à la maison et prendre des antibiotiques par voie orale, mais les parents me semblent plutôt irresponsables, alors je ne prends pas de risque: pour son propre bien, je garde le petit à l'hôpital. L'enfant n'est pas très propre; ses yeux en amande sont cernés, son nez est entouré de croûtes de morve séchée, son chandail est souillé de bave, de traces de jus d'orange et possiblement de sauce à spaghetti. De sa couche imbibée se dégage une forte odeur d'urine et, bien sûr, les parents n'ont pas pensé à apporter des couches de rechange, car ils savent que nous en avons toujours à l'urgence; ils ont beau jouer les innocents, je vois clair dans leur jeu.

Appuyés au mur, ils regardent de loin le bébé étendu sur l'étroite table d'examen; au moindre mouvement leur enfant peut basculer dans le vide et atterrir un mètre plus bas, mais ils ne semblent pas se soucier de cette éventualité.

Pendant que je leur pose mes questions, à deux reprises je leur dis de s'approcher de leur fils: «C'est par précaution. Il peut se retourner et tomber par terre; cela pourrait être grave!» Les deux fois, ils s'éloignent de nouveau du bébé après quelques secondes. La deuxième fois, je me retiens pour ne pas perdre patience et leur demander s'ils sont allergiques à leur enfant. Je me contente de prendre la main de la mère, d'attirer cette dernière près de son fils et de refermer sa main sur celle du bébé en lui disant : « Ne le laissez plus. »

L'homme, au début de la trentaine, n'est pas le vrai père, mais plutôt l'ami de la mère. Hésitant, il me dit qu'il est le conjoint, mais qu'il n'habite pas la même maison que la mère. Cependant, il est le vrai père d'un autre enfant de un an qui habite chez sa mère. Bref, une histoire compliquée! Je n'ose même pas demander qui est le vrai père de l'enfant ni où il se trouve; je termine en demandant à la mère si elle est la vraie mère. Elle me répond : « Bien, voyons donc! C'est évident! »

Tout au long du questionnaire, c'est sur un ton autoritaire et marqué de nombreux soupirs d'impatience que le conjoint ne cesse de répondre aux questions adressées à la mère. Ce genre de comportement m'irrite toujours un peu. À plusieurs reprises, il insiste sur le fait que sa compagne est épuisée d'entendre le petit gémir, mais je crois que c'est plutôt lui qui est excédé. Il ajoute qu'en plus il y a trois autres enfants à la maison.

Je demande à la mère :

— Qui garde les autres enfants à la maison?

La mère, surprise, répond :

— C'est Sonia, la plus vieille.

— Ah bon, et quel âge a-t-elle?

— Dix ans, mais elle est plus mature que son âge.

La réponse est venue avec un sourire en coin que j'arrive mal à juger. Est-ce le sourire de fierté d'une mère qui se croit habile et astucieuse d'avoir su responsabiliser sa fillette, si jeune, dans un rôle destiné à un adulte ou est-ce le sourire satisfait de quelqu'un qui n'a aucunement conscience de ses propres responsabilités? Décidément, ce couple m'est de plus en plus antipathique, car je déteste les adultes immatures qui traitent leurs enfants comme des êtres mûrs, surtout lorsqu'il est question de leur donner des responsabilités d'adultes.

On voit trop souvent des enfants âgés de dix ou douze ans avoir des obligations comme la garde du petit frère ou de la petite sœur, et parfois cela tourne au drame.

Je me rappelle avoir reçu à l'urgence, il y a quelques années, un bébé de deux ans qui s'était noyé dans la piscine familiale. Le bébé se faisait garder par sa « grande » sœur de dix ans, pendant que le père bricolait au sous-sol. La fillette avait laissé le petit quelques minutes pour aller voir ses amies de l'autre côté de la maison. Revenant dans la cour, elle avait trouvé le petit frère qui gisait au fond de l'eau. Immédiatement, elle avait alerté son père. Celui-ci était accouru et, apercevant le bébé au fond de la piscine, avait crié d'un ton agressif à sa fille : « Qu'est-ce que tu as fait, je t'avais dit de le surveiller. Tu n'es qu'une irresponsable. » Malgré tous nos efforts, nous n'avions pu réanimer l'enfant.

J'ai su par la suite que la fillette avait de multiples problèmes psychologiques, dont elle ne se remettra peut-être jamais.

Ainsi, c'est non pas une vie mais bien deux qui ont été détruites par ce transfert de responsabilités de la part d'adultes soi-disant mûrs. J'aimerais pouvoir vous dire que ces situations sont rares; malheureusement, je constate au contraire qu'elles sont de plus en plus fréquentes. La maturité pour un enfant s'exprime par l'accomplissement de petites tâches quotidiennes, comme celles de se brosser les dents, de se laver, de faire ses devoirs, etc. En dehors de cela, la seule activité des enfants devrait être de s'amuser et de jouer, un point c'est tout.

Je dis à la mère :
— C'est trop jeune pour garder.

Son conjoint, irrité par mon commentaire, réplique alors :

— Veux-tu bien me dire ce que ça change? On est ici pour le petit.

Soudain, la conversation est interrompue par une sonnerie provenant d'un téléphone cellulaire qu'il a à la ceinture. Il prend l'appel.

— Oui, c'est moi… Quoi?… C'est trop cher!

Suit une pause, pendant laquelle je lui dis :

— Vous ne pouvez pas vous servir de ce type de téléphone ici; ça brouille les ondes des appareils en cardiologie.

Il ne me prête aucune attention et continue sa discussion. J'ai l'impression d'avoir parlé à un mur; non, à la muraille de Chine.

Je m'appuie le dos contre la porte et je croise les bras en dévisageant l'homme; il discute ferme, conversation très importante au sujet d'une « transaction », probablement avec le Kremlin ou la Maison-Blanche. Ce type m'est décidément très antipathique!

Au bout d'un moment, il termine enfin sa conversation et se tourne vers moi :

— Qu'est-ce que tu m'as demandé, déjà?

— Ces téléphones sont interdits dans l'hôpital, dis-je en pointant le doigt vers le cellulaire.

Je continue ensuite mon interrogatoire, qui me permet d'analyser en quelques minutes la situation familiale, dont j'ai déjà une assez bonne idée.

— Les autres enfants sont en bonne santé?

— Non, ils sont toujours malades; ils font de l'asthme, me répond la mère.

— Vous fumez beaucoup dans la maison?

Son conjoint est de plus en plus irrité.

— Oui, et après?

La mère m'adresse un sourire innocent.

— Comment ça se fait que tu sais qu'on fume?

— Ce n'est pas bien difficile : en examinant le petit, j'ai remarqué que ses vêtements sentaient la fumée. Ce n'est sûrement pas lui qui fume à deux ans, n'est-ce pas? dis-je en fixant le conjoint de la mère droit dans les yeux.

La mère s'approche du petit et, avec une mimique exagérée, feint de le renifler.

— Moi, je ne sens rien.

Excédé, je réplique :

— Ce n'est pas très bon pour les poumons des enfants, surtout s'ils font de l'asthme… Bon, je crois que ce garçon est trop malade pour retourner à la maison; on va le garder quelques jours à l'hôpital. Êtes-vous d'accord?

La mère et le conjoint me répondent par un sourire, puis l'homme demande :

— Est-ce que ça va être encore bien long avant qu'on puisse partir?

Décidément, j'ai de plus en plus de mal à supporter cet individu!

— Je prépare le dossier. Restez ici, ce ne sera pas long.

Je retourne au bureau et, tout en remplissant le dossier, je dis à l'infirmière d'appeler l'étage de pédiatrie pour leur annoncer une admission. Puis je rédige l'ordonnance pour les antibiotiques oraux; c'est le même médicament que j'aurais donné si l'enfant était retourné à la maison.

Deux minutes plus tard, la mère vient me voir pour que je lui remette un document qui permettra à son conjoint de se faire rembourser par le gouvernement pour le transport à l'hôpital. Car le couple est bénéficiaire de l'aide sociale. Je remplis le document, mais je ne peux m'empêcher de penser au téléphone cellulaire de son conjoint, à son téléavertisseur, à son porte-clefs d'auto sport, à sa veste et à ses bottes de cuir… Je trouve toujours étonnant que l'on puisse se payer tout cela alors qu'on profite de l'aide sociale. Mais ce n'est pas mon problème; si le gouvernement permet ces excès, ce n'est pas à moi de changer les règles. J'ai déjà essayé de m'opposer à certains excès à quelques reprises dans le passé, lorsque j'étais plus jeune et plus idéaliste, et cela a toujours tourné en fortes discussions et en plaintes contre moi.

À peine quinze minutes se sont-elles écoulées que le conjoint s'approche du poste et demande sur un ton impatient :

— Est-ce que ça va être encore long? Ma blonde est fatiguée.

— Non, nous attendons que le service de pédiatrie nous rappelle, lui dis-je.

La mère arrive à son tour et demande :

— J'ai oublié. Peux-tu me donner un papier pour ma plus vieille, qui ne pourra pas aller à l'école demain parce qu'elle garde?

Alors là, ils dépassent les bornes! Je n'ai pas à entériner leur décision de faire garder une enfant de dix ans. Je n'ai pas à prendre la responsabilité de leur jugement fort discutable, qui pourrait même faire l'objet d'une plainte à la Direction de la protection de la jeunesse.

— Je regrette, mais je ne signerai pas de papier pour votre fillette. Je crois qu'elle est beaucoup trop jeune pour garder; vous auriez dû vous trouver une gardienne plus vieille, un parent, une voisine, je ne sais pas, mais pas une enfant de dix ans, c'est trop de responsabilités.

Il n'en fallait pas plus pour déclencher la colère du conjoint.

— J'ai mon voyage! Ce qui se passe à la maison, c'est pas à toi d'en juger!

— Exactement. Je ne juge pas ce qui se passe à la maison, parce que je ne sais pas ce qui se passe à la maison, je suis d'accord avec vous là-dessus. Et donc, je ne signe pas de papiers pour votre fille que je ne connais pas et que je n'ai pas vue ici.

J'aurais le goût d'ajouter quelques qualificatifs bien sentis à l'endroit du conjoint, mais je me retiens. C'est normal, je dois contenir mes émotions, je suis médecin, je n'ai pas le droit de rouspéter; c'est ce qu'on m'a appris dans le cours des sciences du comportement humain à l'université.

Le conjoint me dit tout bas :

— Chrisse de débile!

Il est sauvé de ma réaction par le téléphone. C'est le service de pédiatrie, qui annonce qu'il est prêt à recevoir le petit.

Le couple part en blasphémant contre moi, mais j'aurai au moins donné un peu de repos à l'enfant. J'aurai sûrement à m'expliquer encore une fois au comité des plaintes mais, bof!, avec le temps je réalise que pour pratiquer convenablement cette profession, il faut accepter de se faire des ennemis et de recevoir des plaintes de temps en temps.

Ce que je trouve contrariant, c'est de voir avec quel manque de respect certaines personnes traitent les travailleurs de la santé. Nous devons nous soumettre à leurs exigences, un peu comme des otages, sous peine de passer au comité des plaintes, qui est bien sûr parrainé par notre employeur, « le gouvernement ». Au fil des années, on a porté plainte contre moi pour des raisons allant du refus de signer des arrêts de travail au refus de prescrire de puissants analgésiques à des patients qui n'étaient pas malades.

Ma grand-mère, Cécile Lajeunesse, qui a vécu la misère de la crise de 1929, la pauvreté et la Deuxième Guerre mondiale, nous disait toujours : « Vous savez, on peut être pauvre et rester propre, avoir des enfants et bien les élever; on peut rester fier même sans avoir de moyens financiers; la fierté, ce n'est pas une question d'argent. » Et elle ajoutait : « Ce n'est pas parce qu'on est pauvre qu'il faut être crotté et mal élevé. On a le droit d'être pauvre, mais on n'a pas le droit d'être pauvre d'esprit. » Chère grand-mère, que Dieu ait ton âme, les temps ont bien changé.

L'État rembourse les frais de déplacement pour les consultations médicales des gens bénéficiaires de l'aide sociale. Ainsi, les transports en taxi ou les accompagnateurs seront remboursés pour la distance parcourue.

Les gens qui n'ont pas d'argent pour payer ce transport immédiatement peuvent prendre l'ambulance, qui ne leur coûte rien. Mais, en fait, chaque transport en ambulance coûte en moyenne 400 $ à l'État, soit environ dix fois plus que le coût d'un taxi.

Ce système de transport gratuit par ambulance, offert aux assistés sociaux et aux gens âgés de plus de soixante-cinq ans, a mené au fil des ans à une surconsommation de ce type de service. Trop souvent, nous recevons des gens en ambulance qui, après être passés au triage, sont dirigés sur pied vers la salle d'attente.

Ces situations occasionnent parfois des attentes pour les accidentés et les cas majeurs, car il y a alors moins d'ambulances disponibles, ce qui est déplorable.

Vers minuit trente, je reçois des accidentés de la route, quatre ambulances coup sur coup. Le premier ambulancier me raconte les faits : une petite Honda avec deux adolescents à son bord a embouti du côté conducteur une Chevrolet 1987 dans laquelle se trouvaient quatre retraités qui revenaient d'un bingo. Tous portaient la ceinture de sécurité.

Après une évaluation rapide des accidentés, je décide de m'occuper des gens âgés en premier, car ils sont plus mal en point que les deux adolescents.

La conductrice, une dame de soixante-dix-sept ans, a un traumatisme violent au thorax gauche, des côtes brisées et une fracture à une hanche ; je l'ai transférée aux soins intensifs pour qu'on surveille de près son poumon gauche, qui a subi un choc important ; elle repose dans un état stable, demain elle sera opérée pour la hanche. Un traumatisme de cette envergure est grave, surtout à cet âge. La mortalité dans ce genre de cas est d'environ vingt-cinq pour cent.

Les autres sont gardés en observation pour la nuit ; ils ont des blessures mineures et souffrent surtout du choc nerveux, ce qui rend difficile le questionnaire et l'examen, car ils ont mal partout. Ils seront réévalués dans la matinée par le médecin de jour ; d'ici là, je les aurai à l'œil.

Je passe maintenant aux deux adolescents, Jacques et Michael. Six de leurs amis sont arrivés entre-temps et s'amusent gaiement à faire des courses de fauteuils roulants dans le corridor central de l'urgence; je fais cesser cette corrida et je leur dis d'aller patienter dans la salle d'attente.

Les deux adolescents dont la chevelure oxygénée rappelle celle du pilote de formule 1 Jacques Villeneuve, sont toujours ficelés sur leur civière et, fait surprenant, ils portent toujours leur casquette sur laquelle sont inscrits les mots *No fear*.

Je les questionne :

— Qu'est-ce qui s'est passé, les gars?

Bien sûr, je reçois la réponse habituelle. « Jacquot », le plus vieux — il a seize ans et demi — , me dit :

— C'est pas de notre faute, les vieux nous ont coupé la route.

« C'est pas de notre faute », phrase que j'entends souvent dans ce genre d'accident où des jeunes sont impliqués.

Je continue :

— Avez-vous mal?

— Oui, on étouffe avec ça au cou. Peux-tu nous enlever le collier? C'est pas *cool*, on étouffe avec ça, dit Jacquot.

Les colliers sont en effet très serrés et immobilisent complètement la colonne cervicale. L'autre me dit :

— Doc, est-ce que ça va prendre du temps? On doit aller à un party avec nos amis.

— Une ou deux heures, pas plus.

Les deux réagissent aussitôt :

— Ah non! doc, ç'a pas de bon sens, il faut aller à notre party!

Michael poursuit, sur un ton irrité :

— C'est trop long, les hôpitaux. C'est comme ils disent à la télévision : c'est pourri, notre système de santé, on n'a pas des bons services.

J'essaie de les raisonner :

— Écoutez, c'est un accident grave, il y a une dame qui est sévèrement blessée. Vous partirez quand on aura la certitude que vous êtes en bonne santé.

Jacquot demande, agressif :

— Est-ce qu'on peut se lever pour aller fumer, au moins?

Au même moment, les six amis font irruption dans la salle d'examen. Les trois filles, assises dans des fauteuils roulants que poussent les trois gars, miment de grandes malades; l'une d'elles a les cheveux rouges, une autre les a bleus, et la dernière est blonde. Tous sont vêtus de vêtements beaucoup trop amples, comme s'ils voulaient traverser trop vite dans le monde des adultes. Plus je les regarde, plus je constate que ce sont de grands enfants qui ont laissé les poupées Barbie et les trains électriques trop tôt; ils n'ont pas un brin de méchanceté, juste un excès d'énergie mal canalisée.

Je leur dis, en m'efforçant de ne pas rire, car les filles jouent bien leur rôle de malades imaginaires :

— Dites donc, vous n'écoutez pas, je vous ai dit de ne pas jouer avec les fauteuils roulants.

La fille aux cheveux bleus gémit comme si elle était en phase terminale.

— Docteur, je suis malade! Quelle est cette maladie qui me donne les cheveux bleus?

Et elle se laisse tomber vers l'arrière dans le fauteuil roulant.

— Sauvez-moi, je vous en prie!

Tous éclatent d'un rire franc; leurs folies provoquent même un sourire chez deux personnes âgées couchées sur des civières voisines.

Je réponds en riant :

— Je crois que tu souffres d'un surplus d'énergie, probablement parce que tu as mangé trop de tarte aux bleuets.

Au même moment, je sors une grosse seringue de 50 cc et la brandis sous son nez.

— Mais ne t'en fais surtout pas, j'ai de quoi te guérir.

Elle fixe la seringue, ses yeux deviennent très grands et elle dit en se redressant dans son fauteuil :

— Ah! docteur, je me sens déjà beaucoup mieux!

Tous rient de nouveau. Puis la fille aux cheveux rouges intervient :

— Hé, doc, on est tannés d'attendre, est-ce que ça va être encore long ?

— Dites donc, vous n'êtes pas très patientes! Une ou deux heures au minimum pour faire les rayons X, à condition qu'il n'y ait pas de cas plus grave qui arrive. Et ne venez pas me dire que le système est pourri, on me l'a déjà dit. Maintenant, allez attendre dans la salle.

Les jeunes repartent vers le fond du corridor. À cet instant, André, le préposé de nuit, arrive en poussant un malade sur une civière. Il a pour tâche de transporter les malades vers les chambres ou la radiologie et d'aider à déplacer les grands malades. Autrefois, il y avait deux préposés pendant la nuit; maintenant, par suite des compressions budgétaires, il n'y en a qu'un, mais la charge de travail n'a pas diminué pour autant.

Au début de la cinquantaine, André est un homme très sympathique. Il est père de trois enfants et il porte toujours beaucoup d'attention à ses malades, malgré le peu de temps dont il dispose.

— Salut, doc, on est envahis par la marmaille, cette nuit, me dit-il. Avez-vous ouvert une garderie de nuit pour adolescents?

— Oui, et je crois qu'il faudrait faire une demande au chef de l'urgence pour l'achat de poupées Barbie et d'un train électrique pour la salle d'attente.

— Ah ah ah, très drôle, le doc, commente Jacquot.

Faisant fi de la remarque de Jacquot, André continue :

— De futurs acteurs et actrices, probablement.

— Oui, probablement. Toi, ça va, André?

— Non, je me suis encore fait mal au dos en soulevant un malade hier; la douleur persiste.

— As-tu des médicaments?

— Oui, oui, j'ai tout ce qu'il faut. Et, heureusement, demain je commence mon congé de cinq jours; ça va faire du bien, je vais me reposer.

Tout à coup, il me vient une idée.

— Dis donc, André, ça te dirait d'avoir six jeunes pour t'aider pendant quelques heures?

André désigne les adolescents qui se dirigent vers le bout du corridor.

— Ceux-là, doc?

En se frottant le menton il ajoute :

— Pourquoi pas? On n'a rien à perdre, essayons-les.

Je me retourne et crie au groupe :

— Hé! revenez ici, j'ai quelque chose à vous proposer.

Après m'avoir écouté, un des gars dit :

— Wow, c'est *cool*, ça va être comme dans *E.R.*

Je m'empresse de préciser :

— Pas de niaisage, par exemple; et ayez du respect pour tous les malades.

Je leur présente André, qui leur explique certaines tâches simples à accomplir. Les jeunes sont contents, je dirais même très enthousiastes. André les sépare en deux groupes; le premier sera chargé de refaire les civières du corridor et de vaquer à de petites tâches comme donner de l'eau aux malades et les aider à se lever pour aller à la salle de bain sous la supervision de Chantal, l'infirmière de nuit, qui est enceinte de dix-huit semaines. Le deuxième groupe suivra André et aidera à transporter les malades un peu partout dans l'hôpital.

Jacquot me dit :

— Hé! doc, est-ce qu'on peut fumer?

— Décidément, vous deux, vous ne lâchez pas prise. Non, il est hors de question de fumer dans l'hôpital. Et je ne veux plus en entendre parler.

D'un ton calme et résolu qui me surprend moi-même, j'ajoute :

— Vous allez passer des rayons X et, d'ici là, vous gardez les colliers, vous restez attachés sur les civières et vous n'avez pas le droit de vous lever; si jamais vous aviez une fracture de la colonne, vous pourriez rester paralysés pour le restant de vos jours.

Michael réplique :

— Hé! doc, tu capotes ou quoi? On a marché après l'accident; on le sait, nous, qu'on n'a rien de grave… C'est pas une prison, ici; on a le droit de fumer si on veut, j'insiste pour fumer, on a le droit de…

— Écoute, le grand, c'est non, dis-je avec autorité. Ici, c'est moi qui prends les décisions. Ici, il y a des règlements à suivre. Peut-être que vous n'êtes pas habitués à suivre des règlements, mais ici ça marche comme ça.

Michael rouspète :

— Ah! doc, t'es pas *cool*! C'est pas une *smoke* qui va nous faire mourir.

— Michael, si tu n'es pas assez sérieux pour comprendre que ta situation peut être grave, qu'il est interdit de fumer dans un hôpital et qu'il y a d'autres malades à respecter, eh bien, jusqu'à ce que tu quittes l'hôpital, c'est moi qui vais décider de ton cas. C'est clair? Parce que tout ce qui m'importe, c'est que tu retournes chez toi sur tes deux petites pattes. Pour le reste, quand tu seras parti, tu feras ce que tu voudras. Le seul droit que vous avez ici, c'est de vous fermer la trappe, est-ce que c'est assez clair?

Tous les deux semblent surpris de ma réaction; ils me regardent comme si c'était la première fois que quelqu'un leur disait « non ».

— C'est de l'excès de pouvoir, ronchonne Michael.

— Il est capoté, le doc, ajoute Jacquot.

— Le système est vraiment pourri, répète Michael.

En remplissant leur dossier, je rétorque :

— Non, c'est juste du gros bon sens. D'ailleurs, saviez-vous que fumer, ça donne de l'acné? Une étude américaine l'a démontré. Plus vous fumez, plus vous aurez des boutons. Pas *cool*, hein, les jeunes? Vous feriez mieux d'arrêter de fumer, vous auriez une plus belle peau.

Cette étude est de ma propre invention, mais comme ce livre s'adresse davantage aux adultes qu'aux adolescents, gardons ce secret entre nous, car le tabagisme est un fléau chez les jeunes. Ceux-ci craignent l'acné comme la peste, mais le cancer du poumon ne les impressionne pas; alors, pourquoi pas une petite contrevérité pour promouvoir la santé? Saviez-vous qu'un adolescent qui fume pendant deux années consécutives a de grandes chances de fumer le reste de sa vie et qu'après vingt ans de tabagisme les risques de cancer apparaissent? À ce rythme, dans quelques années, nous aurons une épidémie de cancers pulmonaires chez les jeunes dans la trentaine.

Une étude américaine, vraie celle-là, a démontré que l'incitatif le plus fort pour faire cesser le tabagisme chez les femmes était non pas le risque du cancer mais l'apparition précoce de rides au visage.

En quittant la salle, j'entends l'un des adolescents dire à l'autre :

— C'est un vieux doc pas *cool*.

L'autre, réfléchissant tout haut :

— C'est vrai que depuis que je fume j'ai plus de boutons.

Je crois que beaucoup d'adolescents n'ont pas appris à suivre des règles et des préceptes ; à l'urgence, ils se sentent souvent contrariés, car il y a des règlements à respecter, et moi, je suis du genre à faire respecter les règlements ; c'est dans ma nature, je n'y peux rien !

À mon avis, beaucoup de jeunes sont trop laissés à eux-mêmes et considèrent qu'ils n'ont que des droits, sans responsabilités en contrepartie. J'ai été jeune, moi aussi, j'ai affronté le danger, tenté de déroger aux règles de la société et fait quelques coups pendables pour déjouer les règlements. Je me suis fait prendre à quelques reprises. Mais je ne me souviens pas d'avoir allégué mes droits pour me disculper. On me disait : « Tu as commis une bêtise, tu es responsable, tu vas payer pour ta faute », un point c'est tout.

Ainsi, un jour, alors que j'étais adolescent, j'étais sorti avec quelques copains dans le Vieux-Montréal. Nous avions pris quelques bières au bar Les Deux Pierrots et nous voulions impressionner de belles jeunes touristes américaines. Pour leur démontrer la force légen-daire des descendants de bûcherons canadiens-français, nous avions soulevé une petite Toyota stationnée dans la rue Saint-Paul et l'avions déposée sur le trottoir.

Très comique, n'est-ce pas?

Les Américaines nous trouvèrent bien drôles jusqu'à ce que la police arrive, tous gyrophares allumés. Pierre, le plus athlétique et le plus saoul du groupe, s'écria alors : « Hé! les gars, on va voir si les policiers sont en forme. On se sauve vers le port en courant, OK? » Il ajouta, en regardant les filles : « We will see you in a few minutes in the bar. »

La voiture de police est à une trentaine de mètres. On aperçoit le visage des agents derrière le pare-brise; ils ont l'air franchement mécontents, leur mâchoire carrée est crispée.

Pierre nous regarde et dit : « Let's go, les boys, on se sauve. » Et il ajoute : « Au retour, moi, je prends la blonde aux gros seins. » Puis nous partons en courant à fond de train. Encore aujourd'hui, je crois bien que nous aurions pu semer les policiers, car nous étions de grands sportifs. Mais Pierre trébucha sur un pavé et se fractura la cheville.

Le marathon se termina là. C'est au fond d'une cellule du poste de police, avec des voleurs et des vendeurs de drogues, que nous avons dégrisé très rapidement, menottes aux poings. Pierre nous a rejoints après être passé par l'urgence de l'hôpital Saint-Luc, où on lui a mis la cheville dans le plâtre. Pendant que nous attendions nos parents, je vous jure que l'atmosphère n'était pas à la fête. Mais jamais il ne nous est venu à l'esprit de dire que ce n'était pas notre faute ou de demander que soient respectés nos droits. Nous avions la frousse, et très hâte que cette soirée finisse.

Nous avons tous plaidé coupables au délit de fuite et payé l'amende de 100 $ chacun. Plus jamais nous n'avons fait de conneries de ce genre, et Pierre n'a jamais revu son Américaine; mais aujourd'hui, vingt ans plus tard, il salive toujours lorsqu'on lui rappelle la plantureuse jeune femme.

Mais revenons à nos brebis égarées au service des urgences. Par expérience, j'aime mieux garder les adolescents ficelés comme des saucissons, car ils ont la mauvaise habitude, en particulier les gars, de ne pas trop écouter nos recommandations et de faire fi du danger, surtout s'ils sont en groupe. L'important pour eux est de bien paraître devant les autres et surtout d'impressionner les filles, au risque d'empirer une blessure ou un traumatisme.

Je me souviendrai toujours d'un adolescent qui, à la suite d'un accident de la route, avait subi une fracture par écrasement d'une vertèbre lombaire. Il devait rester au repos sur une civière, mais il refusait d'obéir.

Je l'ai vu se lever et marcher devant les copains, juste pour épater la galerie, ce qui aurait pu aggraver sa blessure. Cependant, dès que ses amis furent partis, il se mit à pleurer et à m'implorer de rapprocher les doses de calmant, car la douleur était trop intense. Ce que je fis. Depuis ce temps, je ne prends plus de risques avec les adolescents.

Je termine donc les examens et prescris les rayons X d'usage. Jacquot a une petite plaie de deux centimètres au sourcil droit, alors je lui annonce :

— Jacquot, tu vas avoir des points de suture au sourcil.

Il me regarde comme si je lui annonçais une maladie en phase terminale; il devient blême et me dit :

— Est-ce que je vais avoir une grosse cicatrice?

— Mais non, mais non, tes blondes ne la verront même pas, lui réponds-je en soupirant.

— Est-ce que je vais avoir une piqûre?

— Eh oui!

— Et si tu ne fais pas de points?

— Si je ne fais pas de points? Hum… tu vas avoir une grosse cicatrice, comme celle de Frankenstein.

Il demande avec anxiété :

— Est-ce que ça fait mal?

— Mais non, ne t'inquiète pas, on a un nouveau médicament pour « geler » la peau, ça ne fait pas plus mal qu'une piqûre de moustique.

En attendant les rayons X, je retourne au chevet des autres malades. Il y a un jeune homme atteint d'une sévère pneumonie, à qui je fais administrer des antibiotiques en intraveineuse, plus quelques cas mineurs. J'en ai même un qui est venu seulement demander une pilule pour dormir. À mes questions, il répond qu'il fume deux paquets de cigarettes et boit de six à huit cafés par jour. Tout en m'efforçant de ne pas bâiller, je lui conseille de changer ses habitudes de vie et lui suggère de faire une promenade le soir et de prendre une tisane avec du miel. Il me dit :

— Écoutez, docteur, je n'ai pas attendu trois heures à l'urgence pour entendre ces salades. Ce que je veux, c'est dormir. Je travaille tôt demain.

Et voilà! On reproche souvent aux médecins de ne pas faire assez de prévention et de trop prescrire de médicaments. Facile à dire. Mais, avec les années, j'ai appris que je ne pourrais pas changer le monde, en tout cas pas à trois heures du matin et pas avec un patient récalcitrant qui désire à tout prix sa petite pilule. Je lui prescris donc cinq comprimés de somnifères non renouvelables, lui dis de voir son médecin de famille et lui souhaite bonne chance.

Vers quatre heures du matin, je termine avec les deux jeunes accidentés. Heureusement, les adolescents n'ont que des blessures mineures. Nous avons appelé les parents pour les avertir de l'accident, mais aucun n'a cru bon de venir à l'hôpital. Un des pères m'a demandé :

— Est-ce que l'auto est très endommagée?

« Est-il possible d'être aussi bête! » me dis-je en moi-même.

Après l'annonce que les rayons X n'ont rien révélé d'anormal, Jacquot me dit fièrement :

— On le savait, doc, on te l'avait dit tantôt.

— Mais oui, mais oui. C'est 1 à 0 pour vous : bravo, les gars! Allez vous coucher, maintenant.

Le groupe se réunit; les jeunes ont bien travaillé, ils ont faim. Moi aussi, d'ailleurs. Je profite d'une accalmie pour les inviter à manger à la cafétéria. Après, ils partiront pour je ne sais trop quelle destination.

Et puis manger va me faire du bien; ça va me réveiller et calmer mon estomac qui rouspète. J'ai rarement le temps de manger pendant la garde à l'urgence, c'est un luxe pour moi, cette nuit, et j'en profite. Et vive la gastronomie de l'hôpital! Je m'arrête devant l'affiche indiquant le menu :

Au menu :

Entrée
Soupe au poulet et aux étoiles

Plats principaux
Hot dogs avec frites ou poutine
Jambon hawaïen avec frites ou poutine

Desserts
Jello aux fraises
Pudding chômeur
Muffins variés

Bonne nuit!

Ce menu, quel coup de massue! Presque une peine d'amour, un krach à la Bourse! Un menu à faire regretter la chimiothérapie à un cancéreux, à faire jouir un gastroentérologue spécialisé dans le traitement des ulcères d'estomac.

Rien pour me remonter, en tout cas. Comment se fait-il que la nourriture soit si désastreuse dans les hôpitaux? On devrait pourtant proposer des menus santé, pauvres en gras, riches en fibres et en vitamines, pour donner l'exemple aux malades et à leur famille. Je sais bien qu'un hôpital, ce n'est pas le Ritz ou une auberge de Provence, mais tout de même…

J'opte pour la soupe composée de petites nouilles en forme d'étoiles qui baignent dans un bouillon de poulet anémique, un muffin aux carottes et un grand café. Jamais mon estomac ne me pardonnerait le hot dog et les frites, il me les ferait regretter toute la nuit en allumant des feux un peu partout, je sais, je le connais bien.

Les adolescents, eux, emballés par le choix de nourriture, s'exclament:

— Wow! c'est *cool*, des hot dogs et de la poutine, comme à l'école!

Je prends mon festin, je dis à la caissière de tout mettre sur mon compte et je salue les jeunes en leur disant d'être prudents en rentrant à la maison. La petite aux cheveux bleus me demande:

— Est-ce qu'on va pouvoir revenir? On aime ça, aider.

— Bien sûr, que je lui réponds. Vous n'avez qu'à faire une demande au service des bénévoles; je suis certain qu'ils vous trouveront du boulot. Dites-leur que c'est moi qui vous envoie.

Je retourne à l'urgence avec mon repas gastronomique.

Au Québec, selon les chiffres de la Société de l'assurance automobile, le nombre d'accidents causés par de jeunes conducteurs excède le ratio de jeunes conducteurs par rapport aux adultes. Le manque d'expérience au volant et l'excès de vitesse semblent les causes principales dans la majorité des cas. Pourtant, les jeunes, qui ont des réflexes beaucoup plus rapides que les adultes, devraient en principe avoir moins d'accidents. Or, c'est tout le contraire qui se produit.

Les accidents de la route sont la seconde cause de mortalité chez les jeunes, la première étant le suicide.

Je m'explique mal le fait que l'on ait cessé d'imposer les cours de conduite aux jeunes conducteurs. À mon avis, étant donné les conditions météorologiques particulières du

Québec, les jeunes devraient être obligés de suivre des cours de conduite automobile. On devrait d'ailleurs y ajouter des cours sur le contrôle des dérapages pour la conduite hivernale et, bien sûr, mettre l'accent sur la prévention.

Vers cinq heures du matin, une ambulance nous amène un jeune homme de seize ans qui a une « intoxication médicamenteuse », terme médical désignant une tentative de suicide à l'aide de médicaments.

Les ambulanciers m'apprennent que le jeune homme a pris une surdose d'alcool et d'acétaminophène, dont il aurait ingurgité une centaine de comprimés de 500 mg. On l'a retrouvé inconscient près de la voie ferrée. Le jeune homme respire difficilement, sa bouche est encombrée par des aliments, son pouls est rapide et sa tension artérielle est à 100 sur 50. Son état critique nécessite une intervention rapide. En quelques minutes, je lui introduis un tube dans la trachée pour protéger ses voies respiratoires d'une éventuelle régurgitation ou de vomissements qui pourraient encombrer ses poumons, et un tube dans l'estomac pour vidanger le reste des médicaments et administrer du charbon de bois, qui a pour fonction d'absorber les médicaments. Par les veines, nous lui injectons un antidote pour prévenir les lésions au foie que cause l'acétaminophène à trop forte dose. Rapidement, il est stabilisé, commence à reprendre conscience. Le potentiel de récupération des jeunes m'étonne toujours : on réanime une personne à l'article de la mort, et une heure après le début des manœuvres, le cœur, les poumons, les reins et le cerveau reprennent leurs fonctions normales!

J'appelle ses parents pour les aviser de la situation. J'annonce au père que, d'après nous, son fils a tenté de se suicider.

— Qu'est-ce qu'il a encore fait? s'exclame le père. C'est la deuxième fois que ça arrive depuis l'été.

— Il a pris de l'alcool et de l'acétaminophène, dis-je. Et il voulait probablement se jeter devant un train, mais il est tombé inconscient. C'est sans doute ce qui l'a sauvé. Pouvez-vous venir à son chevet?

— Est-ce qu'il est en danger? demande le père.

— Non, non, tout va bien, il s'éveille lentement, il est stabilisé.

— Je travaille, ce matin, je ne pourrai pas rester très longtemps.

Après une pause, il ajoute :

— Patrick est assez grand pour prendre ses responsabilités. Il agit comme ça pour attirer notre attention et celle de son ex-petite amie…

Après une seconde pause et un long soupir, il conclut :

— Je vais venir.

Environ soixante minutes plus tard, l'adolescent est réveillé. Je lui retire le tube endotrachéal qui servait à protéger ses poumons. Le garçon est franchement déprimé. Son visage est pâle, le contour de sa bouche est maquillé de noir par le charbon de bois, ce qui lui donne l'apparence d'un clown, d'un clown très triste. Il garde les yeux fixés sur le plancher. La plupart des gens qui ratent un suicide éprouvent une grande déception, parce qu'ils ont manqué leur coup et que le retour à la vie signifie pour eux le retour à d'insupportables souffrances morales. Quelques-uns seulement voient dans leur suicide avorté un signe du destin et la certitude qu'ils doivent continuer à vivre.

Le père arrive bientôt. C'est un homme d'affaires connu qui est aussi conseiller municipal. Il est habillé d'un veston marine avec chemise chic et boutons de manchettes en or; sa cravate est probablement une Christian Dior, et sa montre semble être une véritable Tag. Ses souliers neufs sont bien astiqués.

Il regarde son fils et lui dit tout bas :

— Bon Dieu, qu'est-ce que tu as encore fait?

Patrick ne lève même pas les yeux vers son père. Il l'ignore complètement. Je remarque que seul le moniteur cardiaque trahit ses émotions, car le rythme de son cœur s'est accéléré.

Le père reprend, sur un ton encore plus bas :

— Qu'est-ce qui t'a encore poussé à faire ça?

Le jeune homme reste complètement apathique, mais son rythme cardiaque est maintenant passé de 90 à 120 battements à la minute.

Agacé par ce silence, le père dit, en haussant le ton :

— Allez, réponds-moi! Ne fais pas semblant d'être sourd! C'est encore une histoire avec cette petite garce?

Devant l'absence de réaction de son fils, il se tourne vers moi et me demande avec impatience :

— Dites donc, docteur, est-ce qu'il m'entend? Il ne réagit pas...

Le rythme cardiaque de Patrick est maintenant de 130 à la minute. Je dis au père de m'accompagner dans une salle d'examen, où nous serons mieux pour discuter.

Là, je lui demande :

— Qu'est-ce qui se passe avec votre fils?

Le père m'explique :

— Son problème, c'est qu'il est tombé amoureux d'une petite garce qui a abusé de lui et qui l'a fait marcher pendant six mois. Je n'ai jamais été d'accord avec cette relation, car cette fille n'était pas assez bien pour lui. Elle lui a fait cracher ses économies, et lorsqu'il n'a plus voulu dépenser pour elle, elle l'a quitté. Voilà, c'est très simple... L'été dernier, il a pris quelques comprimés et de la bière... Il s'est retrouvé ici... Le psychiatre voulait le garder, mais nous avons décidé qu'il vaudrait mieux pour Patrick qu'il soit suivi en clinique externe. D'ailleurs, vous le savez, avec les compressions budgétaires et le manque de lits, il était préférable qu'il laisse la place à quelqu'un de réellement malade.

— Pourquoi dites-vous que sa copine n'est pas assez bien pour lui?

Une expression de haine crispe le visage de l'homme d'affaires.

— Elle n'est pas d'un bon milieu. Elle vient du bas de la ville, des quartiers de bien-être social. Je me suis aperçu rapidement que ce qu'elle voulait, c'était profiter de mon fils.

— Ah bon! dis-je avec un peu de scepticisme. Dans ce cas, pourquoi a-t-elle laissé Patrick?

— Patrick est influençable. Cette fille n'était là que pour son argent. À force d'expliquer cela à Patrick, je crois que je lui ai fait entendre raison. La fille a compris, elle aussi.

Il ajoute, et je décèle tout de même un soupçon de culpabilité dans ses paroles :

— Je ne pouvais pas le laisser continuer : il dépensait tout son argent pour gâter cette fille. L'argent que je lui donne, c'est pour payer ses futures études à l'université, pas pour jeter par les fenêtres.

— Dernièrement, est-ce que Patrick avait changé de comportement?

— Oui, à cause d'elle, insiste le père. Il a abandonné les sports, son rendement scolaire a chuté. Incroyable : lui qui était premier de classe, il devra suivre des cours de rattrapage l'été prochain.

— Avez-vous d'autres enfants?

— Oui, deux petites filles de deux et trois ans. Je les ai eues avec une autre femme. La mère de Patrick et moi-même sommes divorcés depuis sept ans, et j'ai refait ma vie. Patrick habite avec nous depuis deux ans seulement; il a quitté sa mère parce qu'il ne s'entendait plus avec le nouvel ami de mon ex-femme; alors, il est venu vivre chez nous.

— Et, à la maison, ça va bien?

— Comme ci comme ça. Pas vraiment bien, à vrai dire. Il semble aimer ses deux petites sœurs, mais il ne s'entend pas très bien avec ma femme… Depuis quelques semaines, il est impatient avec tout le monde à la maison. Quand il revient du collège, il ne parle à personne. Il ne mange jamais avec nous; il préfère s'enfermer dans sa chambre et naviguer sur Internet pendant des heures et des heures.

— Et quand vous lui parlez, qu'est-ce qu'il vous dit?

Il semble embêté, hésite un peu.

— Vous savez, la communication n'a jamais vraiment bien marché entre nous deux. Il se fâche pour un rien, alors je préfère laisser tomber plutôt que de faire de la chicane.

C'est la crise de l'adolescence, il faut attendre que ça passe…

Après une nouvelle hésitation, il ajoute :

— J'ai tout fait pour lui : je lui ai payé le meilleur collège privé, les plus beaux camps de vacances, je lui ai même acheté une petite jeep décapotable pour le féliciter de ses succès scolaires. Vous savez ce qu'il a fait?

— Non.

— Au printemps dernier, quelques jours seulement après l'achat de la jeep, il nous a fait une peur bleue : il a foncé dans un arbre après une dispute avec sa copine. Il n'a eu que quelques ecchymoses et un bras cassé, mais il aurait pu se tuer.

Je réfléchis en silence quelques secondes. Le père, décidément très allergique au silence, me demande deux fois, en insistant :

— Docteur, est-ce que je le ramène à la maison? Est-il nécessaire de le garder à l'hôpital?

— D'après ce que vous venez de me dire, je crois que c'est la troisième fois que votre fils tente de s'enlever la vie depuis six mois. L'accident avec la jeep au printemps était peut-être un acte suicidaire voilé; ça passe souvent pour des accidents de la route. Je crois que Patrick a un urgent besoin d'aide. Nous allons le garder hospitalisé. Le psychiatre le verra ce matin, et je vais insister pour qu'on le garde en psychiatrie… Est-ce que ça vous va?

Très mal à l'aise, il répond :

— Vous savez, docteur, on habite une petite ville, et le monde jase beaucoup. J'ai des commerces, je fais de la politique municipale. Patrick n'est quand même pas fou, il n'est pas malade mental. Je crois qu'il a fait ce geste pour attirer l'attention de la petite garce… Croyez-vous vraiment qu'il doit être hospitalisé en psychiatrie?

— Oui, je le crois fermement.

De plus en plus mal à l'aise, il insiste :

— Pourquoi ne pas l'hospitaliser en médecine générale? Il me semble que ce serait mieux pour lui.

— Non, dis-je avec un soupçon d'impatience. La dernière fois, Patrick n'est resté que quelques heures à l'hôpital. Il est vrai que c'était une première tentative de suicide. Mais, cette fois, c'est très grave! S'il ne s'était pas endormi sous l'effet de l'alcool, on peut supposer qu'il se serait jeté devant le train... De plus, les changements d'attitude comme l'impatience, l'agressivité et le repli sur lui-même, ainsi que ses résultats scolaires catastrophiques démontrent que Patrick souffre fort probablement de dépression. C'est beaucoup plus grave qu'un simple acte pour attirer l'attention ou une crise d'adolescence.

Je fais une pause avant de conclure:

— D'ailleurs, il serait préférable que vous restiez pour voir le psychiatre avec votre fils. Il sera ici vers neuf heures.

Dans les cas très graves, comme celui de Patrick, il est essentiel que les parents assistent à l'entrevue avec le psychiatre, mais il n'est pas rare de les voir se défiler et prétexter toutes sortes de raisons pour ne pas affronter les questions et les silences du psychiatre, peut-être par peur de se sentir coupables ou par crainte de remuer de vieux souvenirs.

Contrairement à ce que l'on pourrait penser, il n'est pas toujours facile d'amener les parents à établir des liens avec les services de psychiatrie.

Dans le cas présent, la réponse du père de Patrick ne m'étonne pas:

— C'est impossible, docteur: j'ai un important rendez-vous ce matin. Je lui téléphonerai dans la journée.

Et voilà! Le téléphone étant un moyen de communication plutôt impersonnel, il nous permet de dissimuler les émotions que nous préférons garder en hibernation. Car éveiller les émotions pourrait créer des interrogations, voire même de la souffrance morale; et la souffrance morale, mieux vaut la laisser bien endormie, parce qu'elle peut vous détruire une carapace très rapidement.

Ainsi se termine la conversation avec le père, qui part aussitôt. Quant à la mère, il m'est impossible de la rejoindre, malgré de multiples tentatives.

Je reçois des archives le dossier médical de Patrick et je commence à le feuilleter. Les dossiers archivés des patients sont très importants, car ils relatent leur passé médical complet.

Il y a plus de seize ans déjà, Patrick semblait être né sous une bonne étoile comme fils unique de parents professionnels, habitant un quartier aisé de la ville. Entre sa naissance et ses seize ans, les parents consultèrent seulement pour de petits problèmes comme des otites et des rhumes.

Puis, au printemps dernier, ce fut le début des vrais problèmes; les notes du psychiatre qui l'a évalué l'été dernier sont très explicites. On y apprend que les parents ont divorcé alors que le garçon avait dix ans, ce qui ne semble toutefois pas l'avoir influencé trop négativement; il était alors dans un collège privé où la vie scolaire et parascolaire prenait beaucoup de place.

Comme il était pensionnaire au collège, il partageait ses congés entre ses parents, mais c'est surtout chez sa mère qu'il habitait, car le père avait refait sa vie avec une autre femme, beaucoup plus jeune, qui ne semblait pas porter beaucoup d'affection au jeune Patrick.

Quelques années plus tard, la mère accepta un transfert de poste à l'extérieur de la ville, elle se fit un nouvel ami, et Patrick, alors âgé de quatorze ans, décida d'aller vivre chez son père. Cela lui permettait de rester près de ses amis; de toute façon, il ne s'entendait pas très bien avec le nouveau copain de sa mère.

Le printemps dernier, Patrick vécut son premier amour, avec Mélanie, une jeune fille issue d'un milieu modeste. Ils s'étaient rencontrés dans un parc situé près de la rivière où les adolescents avaient l'habitude de se rassembler les soirs d'été pour fumer en cachette et se bécoter sur les bancs publics. Ce lieu avait été interdit par le père car, selon lui, il n'y avait que des bons à rien et des fainéants qui se droguaient dans ce parc. Comme il était conseiller municipal, il avait même fait des pressions auprès des services policiers pour que l'on interdise la fréquentation de ce lieu public après vingt heures, ce qui fut fait.

La jeune Mélanie n'étudiait pas dans un collège privé. L'été et les fins de semaine, elle travaillait au comptoir d'un restaurant de *fast food* pour se faire de l'argent de poche. Patrick avait même fait une demande pour y travailler, mais son père avait refusé qu'il y aille en prétextant que cela nuirait à ses études.

Le psychiatre avait noté comment le père avait décrit la première rencontre avec la copine de Patrick lors d'un repas dominical : « Il était clair que cette fille ne convenait pas à mon garçon. Bien qu'elle fût jolie, elle n'avait pas une belle diction, elle mâchait sans cesse de la gomme et n'avait aucune manière à table. Elle portait un pantalon troué, une chemise trois fois trop grande pour elle. Elle n'avait aucune ambition dans la vie, à part vendre des hamburgers et des frites. En plus, elle fumait. »

L'idylle entre les deux tourtereaux se poursuivit quelques semaines, au grand désespoir du père.

Pendant ce temps, les résultats scolaires du garçon baissèrent un peu tout en demeurant quand même très bons. Au dire de Patrick, le père détestait de plus en plus la jeune fille, au point qu'il offrit à son fils de lui acheter une jeep neuve s'il laissait tomber Mélanie.

« Tiens, tiens, me dis-je en moi-même, cela ne cadre pas tout à fait avec l'histoire que le père m'a racontée. »

Patrick hésita, mais finit par succomber à la tentation. Un ami commun ayant fait part de ce marché à la jeune fille, celle-ci, fière et orgueilleuse, laissa Patrick sur-le-champ.

Quelques jours plus tard, le jeune homme percuta un arbre avec la jeep. Il s'en sortit avec des contusions et des fractures mineures, mais le véhicule fut une perte totale.

Par la suite, Patrick fit tout son possible pour reconquérir le cœur de Mélanie. Il lui acheta des bijoux de grande valeur, un manteau de cuir, mais rien ne fit changer la décision de l'adolescente, qui avait un fort caractère et beaucoup de fierté.

En août, pendant que son père était au chalet, Patrick seul à la maison prit dix comprimés d'acétaminophène avec de la bière, mais il téléphona à Mélanie pour l'aviser de son geste, et celle-ci envoya une ambulance le chercher. Le garçon ne fut pas hospitalisé en psychiatrie car, selon les notes du psychiatre, « devant la grande insistance du père, Patrick sera suivi en clinique externe ».

Le garçon vit le psychiatre à quatre reprises; il venait toujours seul à ses rendez-vous, car ni le père ni la mère n'avaient, semble-t-il, le temps d'assister aux consultations, trop occupés qu'ils étaient par leur travail et leurs affaires. De plus, la mère habitait à deux cents kilomètres.

À partir de la rentrée scolaire, rien n'alla plus pour le jeune Patrick. Celui qu'on avait toujours connu calme et doux ne contrôlait plus ses pulsions agressives; il devint acerbe envers ses amis, qui se mirent à le fuir peu à peu; dans les sports, il se bagarrait souvent, aussi fut-il expulsé de la ligue de hockey. Il semblait en vouloir au monde entier.

Ses résultats scolaires devinrent catastrophiques. Dès lors, il s'adonna à l'alcool et se mit à prendre certaines drogues qu'il achetait avec l'argent que lui donnait son père. Ses véritables amis furent bientôt remplacés par de jeunes délinquants qui s'accrochaient à lui pour avoir de la drogue et de l'alcool gratuitement.

Le psychiatre convoqua d'urgence les deux parents. Dans ses notes, il résume ainsi la situation : « Les deux parents, très axés sur leur vie professionnelle, ne semblent pas vouloir accepter leur rôle dans l'attitude de leur fils. Tout au long de leur vie, l'enfant semble avoir été une source d'embarras plus que de bonheur; ils n'ont jamais voulu d'un second enfant, car la mère considérait qu'un enfant c'était déjà bien assez accaparant. »

On apprend que c'est une gardienne qui a pris soin de Patrick dès son plus jeune âge, que les parents ont toujours compensé leur manque d'affection et de tendresse à son égard par des biens matériels, des camps de vacances et des collèges privés. Ils ont organisé la vie entière du jeune homme sans tenir compte de ses goûts. Ils désiraient le voir embrasser une profession, alors que le jeune homme semblait préférer les travaux manuels. Ils allèrent même jusqu'à ne pas respecter ses choix affectifs, ce qui avait provoqué la rupture avec la jeune Mélanie. Il s'ensuivit un début de dépression caractérisée accompagnée de fortes pulsions agressives envers lui-même et exacerbée par les drogues et l'alcool, ce qui a finalement mené le jeune homme à une tentative de suicide, qui était somme toute un appel à l'aide. Et l'accident du printemps était sans doute relié à un acte impulsif suicidaire.

Pour ce qui est du rendement scolaire de Patrick et de la possibilité qu'il soit expulsé du collège, les parents semblent transférer le blâme sur l'administration et les enseignants de ce collège où, selon eux, les normes sont trop rigides et mal adaptées aux jeunes qui vivent des périodes de crise. D'ailleurs, pendant toute la longue entrevue, les parents minimisent beaucoup les problèmes de Patrick et en parlent comme d'une simple crise d'adolescence.

Le psychiatre termine son analyse par ces mots : « Et, dans ce contexte, la meilleure solution serait de sortir Patrick de son milieu familial et de le placer en famille d'accueil quelques mois, ce à quoi le père s'est opposé énergiquement. »

Il est clair que Patrick vit une grande solitude et qu'il a une pauvre estime de lui-même. Au lieu de faire face à la forte personnalité de son père, il exprime son agressivité sur d'autres personnes et sur lui-même; c'est ce que l'augmentation du rythme cardiaque démontrait tantôt.

Son éducation familiale ne lui a malheureusement pas donné les moyens d'affronter les épreuves de la vie. Ses parents lui ont imposé d'abord un divorce, puis de nouveaux conjoints et deux nouvelles petites sœurs. En outre, avec leur vie professionnelle « hypertrophiée », ils ne semblent pas avoir jamais eu comme objectif premier la réussite de leur vie familiale.

Dans ce couple, de toute évidence, les valeurs de la vie résident avant tout dans les biens matériels. Mais Patrick a

appris très vite que l'affection ne s'achète pas, qu'on ne ré-
pare pas nécessairement ses erreurs avec de l'argent; cela ne
fonctionne pas avec des gens qui ont de véritables valeurs,
comme semble en avoir la jeune Mélanie.

Vers huit heures, c'est le branle-bas du changement de
quart de travail. Je retourne voir Patrick. Il est un peu
amoché, mais il va bien.

— Dis donc, le grand, tu as fêté pas mal fort hier soir…

— Ouais, ouais, j'ai pris une couple de bières avec les
chums.

— On t'a retrouvé inconscient près du chemin de fer.
Qu'est-ce que tu faisais là? Tu attendais l'express Montréal-
Québec qui passe à sept heures?

Patrick marmonne:

— Je l'ai manqué.

Mais il ajoute vite, mal à l'aise:

— Non, non, rien, rien, je prenais l'air, simplement.

— Tu es certain que tu ne faisais que prendre l'air?… Et
pourquoi as-tu avalé cent comprimés d'acétaminophène?

Le jeune homme, visiblement embêté par la question,
répond:

— J'avais mal à la tête.

Sur le plan psychanalytique, cette réponse est intéressante, car effectivement je crois que Patrick a de fortes
raisons familiales d'avoir mal à la tête. Ayant créé un pont, si
fragile soit-il, je tente de le faire parler un peu:

— Oui, je vois. Ainsi, tu avais mal à la tête… As-tu des
troubles avec ta blonde?

— Non, je n'en ai pas, répond-il.

— Des troubles ou une blonde?

— Une blonde.

D'un air innocent, je demande alors:

— Et avec tes parents, ça va?

Le regard hargneux, il répond:

— Ça fait longtemps que je n'en ai plus.

Et il ajoute :

— Es-tu un docteur, ou un agent de la GRC?

— Qu'est-ce que tu aimerais que l'on fasse pour toi?

— Rien, fichez-moi la paix… Laissez-moi partir.

— Impossible, dis-je. Tu dois rester au moins trois jours, le temps que l'antidote agisse. Pendant ce temps, je vais te faire voir un psychiatre, parce que je crois que tu as bien besoin d'aide. Tu sais, il y a bien des façons de repartir à zéro. On peut vouloir mourir, mais, personnellement, tant qu'on ne m'aura pas prouvé que la vie est plus belle après la mort, je préfère envisager d'autres solutions. Ce ne sera pas facile, mais laisse-nous t'aider… D'accord pour le psychiatre?

Malgré son discours désabusé, Patrick semble soulagé.

— Ouais, ouais, encore un vieux à la barbe blanche qui va me poser des centaines de questions sur mon enfance…

— J'en parle au docteur Désilet. Tu verras…

Le docteur Désilet est une jeune psychiatre très compétente, dynamique et, qui plus est, très jolie; trois bonnes raisons, à mon avis, pour garder la motivation dans le suivi et les traitements psychiatriques.

Ainsi se termine cette nuit à l'urgence.

Quelques mois plus tard, le docteur Désilet me croise et me dit que le jeune Patrick se porte beaucoup mieux et que, malgré l'opposition de son père, il a décidé d'aller en famille d'accueil. Elle me raconte que le père a été jusqu'à offrir une puissante motocyclette comme cadeau d'anniversaire à Patrick, à condition bien sûr que le jeune homme revienne vivre à la maison.

Ainsi, Patrick aurait pu se tuer allègrement, d'une façon tout à fait naturelle et respectable pour les notables de la ville. Je crois fermement que certains individus qui vivent en toute liberté dans la société sont bien plus redoutables que des dangereux criminels emprisonnés!

Patrick a refusé l'offre de son père : il a compris que la vie est trop belle et qu'il vaut mieux s'éloigner des gens qui veulent à tout prix lui empoisonner l'existence.

Le lendemain, je recommence une série de trois jours de garde de huit heures à seize heures. Je passe une nuit difficile, pour ne pas dire agitée car, au fil des années, mon organisme a de plus en plus de difficulté à s'ajuster à ces horaires qui sautent de la nuit au jour, puis du jour au soir; je dors mal, je m'éveille à quatre heures du matin, je tente de me rendormir, je me tourne et me retourne sous les draps; et, lorsque enfin j'ai l'impression de m'être endormi, la sonnerie du réveil me fait sursauter : une autre journée commence. Étendu sous les draps, je regarde le plafond. Une nouvelle fissure s'est formée; je ne la colmaterai pas, cette petite brèche dans le plâtre, car, à quoi bon, ma vieille maison vit depuis cent ans, c'est une maison bien vivante, elle fait du bruit la nuit, elle craque sous la force du nordet, elle bouge un peu lorsqu'un camion passe, elle souffre un peu d'arthrite; c'est normal, à cent ans, d'avoir des petits problèmes de santé.

La cafetière automatique préprogrammée émet quelques « rots » et laisse émaner une agréable odeur de café.

En me versant une tasse, j'écoute les messages téléphoniques oubliés la veille. J'en ai trois. Le premier est d'un ami dont je n'ai pas de nouvelles depuis longtemps. Par politesse, il me demande comment je vais puis, rapidement, il enchaîne avec les problèmes de brûlements et d'écoulements jaunâtres qu'il a au pénis depuis qu'il a couché avec une fille inconnue au cours d'un voyage d'affaires au Mexique la semaine précédente. Son message se termine sur une note mielleuse et un rire hypocrite : « Appelle-moi au travail, car je ne voudrais pas que Manon le sache. » Et il me donne le numéro de téléphone de son pharmacien.

J'efface le message. J'appellerai l'ami en question et lui dirai d'aller à une clinique de maladies transmissibles sexuellement; il est hors de question que je lui donne une prescription téléphonique. Et si tu avais le sida, pauvre imbécile?

Deuxième message, deuxième gorgée de café. Surprise! c'est une amie, la belle Julie qui travaille dans le cinéma.

Peut-être qu'elle veut m'inviter à souper… « Salut, Robert. J'ai mal dans le dos depuis deux semaines. » Elle me décrit ses symptômes, me dit qu'elle est allée chez le chiro, le physio, l'acupuncteur, le ramancheur, le masseur, qu'elle a essayé tous les granules et onguents homéopathiques naturels « là où ça fait mal »… Sans succès. Julie fait partie de cette catégorie de jeunes professionnels qui se disent à la mode, se prononcent contre la médecine traditionnelle et prêchent l'homéopathie et autres médecines alternatives. Souvent, au cours de sorties ou de dîners, elle trouve le moyen de glisser dans la conversation qu'elle a été guérie d'un rhume ou d'un mal de tête grâce aux extraordinaires granules bleus ou verts, ou grâce à la fameuse tisane aux plantes chinoises qui élimine les toxines de l'organisme. Un jour, je lui ai demandé :

— Si c'est si bon, pourquoi est-ce que l'espérance de vie en Chine n'est que de cinquante-cinq ans?

— Voyons donc, c'est très simple, a-t-elle répondu du bout des lèvres en fumant son petit cigare cubain et en savourant un fin porto. C'est même très, très simple : c'est parce qu'ils ont beaucoup trop de toxines accumulées dans leur organisme.

Je l'ai regardée en hochant la tête et j'ai dit :

— Ah! bon, c'est pour ça! Eh bien, j'aurai appris quelque chose aujourd'hui…

Avec elle, bien sûr, il y a des sujets tabous, comme les accouchements à la maison par des sages-femmes et la vaccination des enfants, sur lesquels nous avons des avis tout à fait différents. Un jour où, emportée par son enthousiasme, elle prônait « l'accouchement à la maison, comme dans le bon vieux temps », j'ai répliqué en lui faisant part de ma théorie du Boeing 747.

— Est-ce que tu laisserais un pilote inexpérimenté, habitué à voler sur de petits Cessna, faire atterrir un gros Boeing 747 sur une piste de canton vétuste? lui ai-je demandé.

— Mais, voyons, ça ne se compare pas, a dit Julie.

— Tu sais, un bébé qui manque d'oxygène pendant trois minutes, c'est peut-être pour la vie qu'il sera affecté! C'est comme un atterrissage d'avion après un voyage de quarante semaines : a-t-on le droit de manquer la piste?

Julie, fâchée, a rétorqué :

— Tu ne vas pas encore me raconter tes histoires d'accouchements à la maison qui ont abouti à l'urgence et qui ont viré à la catastrophe. Tu sais ce que j'en pense : c'étaient des exceptions, ces femmes-là qui ont manqué leur accouchement à la maison!

En dix ans de pratique j'ai en effet été témoin de quelques cas d'accouchements à la maison qui se sont retrouvés à l'urgence et qui ont mal tourné.

Dans tous les cas, les futures mères étaient suivies par des sages-femmes. Tout devait très bien se passer : entre deux contractions, l'époux était chargé de masser le périnée de sa compagne avec de l'huile d'amande; la douleur serait contrôlée par des bains dans la piscine ou la baignoire; le petit bébé naîtrait de façon naturelle et serait ainsi beaucoup plus beau, plus intelligent et exempt de ces fameuses toxines.

Mais les choses ne se passent pas toujours comme prévu. L'un des accouchements les plus catastrophiques auxquels j'aie assisté était justement un accouchement à domicile qui avait mal tourné. La mère est arrivée en hémorragie massive, le bébé coincé dans son bassin trop étroit. Elle fut transportée à la salle d'opération où on a procédé d'urgence à une césarienne. Le bébé est mort, malgré toutes nos tentatives de réanimation et, pour stopper l'hémorragie de la mère, il a fallu pratiquer une hystérectomie.

Un autre accouchement avait duré plus de trente-six heures à la maison et le bébé avait subi un manque important d'oxygène au cerveau, car il avait été étranglé bêtement par le cordon ombilical pendant le travail. Le bébé était décédé quelques heures après son arrivée à l'hôpital. Il est vrai que les catastrophes aériennes ne se produisent pas souvent, mais faut-il absolument courir après le trouble? Les accouchements dans les hôpitaux ne sont plus ce qu'ils étaient; maintenant, les hôpitaux possèdent des centres de naissance où, dans des chambres confortables, une décoration de style victorien cache tout un arsenal de réanimation pour la mère et le bébé, juste au cas où les choses tourneraient mal, ce qui se produit dans dix pour cent des cas. Mais dans le bon vieux temps? me direz-vous. Eh bien, dans le bon vieux temps, entre cinq et dix pour cent des bébés perdaient, au moment de l'accouchement, quelques milliers de neurones à cause d'un manque d'oxygène. Aujourd'hui, notre taux de complications néonatales est le plus bas du monde (moins de cinq dixièmes pour cent), et il est possible d'accoucher en toute sécurité dans un environnement agréable. Cela me dépasse qu'on veuille revenir au bon vieux temps des neurones disparus.

Le plus souvent, je clos nos discussions en disant: «Mais oui, mais oui, moi, je suis le docteur "prescriveux" de pilules chimiques à la solde des multinationales, et tous ces homéopathes et ramancheux ne veulent que ton bien.»

Le message de la belle Julie se termine: «Peux-tu me rappeler au bureau? Je travaille des journées de douze heures, ces temps-ci.» Je l'appelle donc et lui prescris des anti-inflammatoires et des analgésiques en lui disant de venir me voir si les douleurs persistent. Des études ont démontré que le repos complet pendant une semaine est le meilleur traitement pour les entorses lombaires; mais voilà: qui peut se permettre de se reposer en 1999?

Le troisième message est de ma mère, qui me dit: «Tout va bien! Appelle quand tu auras une minute.»

Je regarde mon répondeur: il ne reste aucun message. J'aimerais bien pouvoir me passer de cet appareil, car trop souvent il me donne l'impression d'être le service Info-santé de tous les gens que je connais.

En route vers l'hôpital, j'écoute l'émission de radio habituelle. À la pause, mon attention est attirée par la publicité d'un chiropraticien qui a écrit un livre: *La chiropractie, un traitement de première ligne.* «Tiens donc, me dis-je, va-t-il ouvrir sa clinique vingt-quatre heures sur vingt-quatre?»

La journée commence lentement. Les cas habituels se succèdent: pneumonies, angines de poitrine, perte d'autonomie de personnes âgées, fièvre chez des enfants…

Vers treize heures quinze, je cours à la cafétéria avant qu'elle ferme; il me restera de dix à quinze minutes pour dîner, ce qui suffit amplement.

Dans un corridor, je croise sœur Duguay, la responsable du comité de bénévolat de l'hôpital. Elle porte le voile depuis cinquante ans, et elle est d'une gentillesse et d'une douceur peu communes. Je l'appelle toujours « mère Teresa », ce qui la fait sourire et répondre à tout coup : « Voyons, docteur, je n'atteindrai jamais la cheville de mère Teresa. »

Elle me dit :

— Docteur, j'ai eu la visite de jeunes gens… de jeunes gens qui, disons-le, sont très colorés et qui me semblent par ailleurs très gentils.

Je souris.

— Ah oui, le groupe d'adolescents de l'autre nuit.

— Ils m'ont demandé de faire du bénévolat. Ils affirment que c'est vous qui les avez dirigés vers le comité.

— Oui, oui, c'est bien ça. Ils sont gentils, vous allez voir, et ils ont beaucoup d'énergie à dépenser.

Je lui raconte l'expérience de la nuit qu'ils ont passée à l'urgence. Je termine en disant :

— Je crois qu'ils sont très fiables.

— Ah bon! Je voulais juste être certaine qu'ils ne me contaient pas de blagues ou de sornettes. Vous savez, les jeunes d'aujourd'hui, ils sont un peu difficiles à cerner. Bon, dans ces conditions, je vais les prendre et leur attribuer des tâches manuelles.

— C'est bien. En plus, ils adorent la cuisine de l'hôpital, dis-je en riant.

Ça tombe bien, car l'hôpital remet aux bénévoles, en récompense de leur travail, des coupons leur permettant d'avoir des repas gratuits à la cafétéria. Où me voici justement. Le menu est affiché :

Entrée
Soupe bœuf et étoiles

Plats principaux
Pâté chinois
Pizza toute garnie

Dessert
Tarte aux bleuets
Jello au citron
Muffin aux bleuets

Bonne journée!

Malheureusement, je me heurte au grillage. À cause de ma conversation avec sœur Duguay, je suis arrivé quelques secondes trop tard. J'interpelle la préposée qui vient tout juste de fermer la grille et lui demande si elle peut me servir même si je suis en retard.

Comme elle a fermé sa caisse enregistreuse, ça l'embête beaucoup.

Je tiens la grille à deux mains, j'ai l'impression d'être un prisonnier, à Sing Sing ou à Istanbul, qui supplie son gardien pour avoir sa ration journalière de patates bouillies.

Je lui dis en riant :

— Il me reste les machines distributrices, mais je n'ai pas le goût de mourir d'un ulcère perforé de l'estomac. Je ne prendrais qu'une soupe aux étoiles, un muffin et un café.

Ô joie! Il y a encore des êtres compatissants sur cette planète : la préposée accepte, à condition que je revienne payer mon repas « demain, sans faute, car ma caisse est faite », dit-elle sévèrement.

Je réponds :

— Ne vous inquiétez pas; je n'ai aucunement envie d'être envoyé au trou.

— Qu'est-ce que vous voulez dire?

— C'est une blague : je veux dire que je n'ai pas envie d'aller en prison.

Elle ouvre la grille, soupire, me souhaite machinalement bon appétit sans me regarder, comme elle le dit probablement depuis dix ans à tous ses clients, et me tend une petite boîte de carton contenant mon festin en me demandant combien je veux de sucre et de lait pour le café.

— Trois laits pour l'ulcère d'estomac et deux sucres pour traverser le reste de la journée.

Heureux, je retourne à mon poste. Je préfère aller manger sur le comptoir de l'urgence, comme ça je suis à côté s'il se présente un cas grave. De plus, je n'aime pas manger à la cafétéria; elle est sombre, et plusieurs tuyaux passent au-dessus de nos têtes et émettent de drôles de bruits provenant du système digestif de l'hôpital. J'ai la hantise qu'un de ces tuyaux se brise un jour sur nos têtes. Je sais que ça va arriver, j'en suis certain; statistiquement, ce n'est qu'une question de temps : l'hôpital a trente ans, c'est à peu près l'espérance de vie d'un tuyau normal. J'espère que cela n'arrivera pas en pleine heure de pointe, ce serait dommage de gâcher de si bons repas. Et puis, la cafétéria est mal aérée, et les gens ont le droit d'y fumer. La majorité des hôpitaux ont leur cafétéria dans le sous-sol; ça n'a rien pour remonter le moral des troupes. À quelques exceptions près, ces cafétérias sont vraiment déprimantes.

Il est près de quatorze heures. C'est l'heure où mon cerveau commence à donner des signes de faiblesse; je ressens une vague léthargie, comme une sorte de brouillard qui ralentit mon allure et endort mes neurones.

Ce malaise est la conséquence inéluctable de mes nombreux changements d'horaire; c'est un peu comme si avant-hier, de nuit, j'avais soigné des Français en pleine crise de foie à Paris, alors qu'hier je me trouvais à Montréal pour traiter des gens dont les artères s'étaient bloquées après qu'ils eurent ingurgité des poutines et des hot dogs, et que je me retrouvais aujourd'hui au Japon à tenter de guérir des cancers d'estomac dus à l'ingestion répétée de saké chaud.

L'horloge biologique en prend un coup, et elle a parfois du mal à retrouver le nord magnétique!

Juste comme j'émiette les biscuits salés dans ma soupe aux étoiles, ce qui, à mon avis, améliore son goût et sa consistance, au moment même où mes papilles gustatives s'apprêtent à expulser de toute leur force la salive qui digérera ce festin digne d'un tsar, l'infirmière responsable du triage m'annonce l'arrivée d'une jeune adolescente qui fait une intoxication médicamenteuse : elle aurait pris on ne sait combien de comprimés d'aspirine. L'infirmière me dit que la jeune patiente est quand même tout à fait stable.

Je pense : «Merde, pas de l'aspirine!» Les «intox» avec ce médicament sont toujours des boîtes à surprises; vous ne savez jamais si elles seront banales ou si elles vous feront exploser à la figure quelque pétard ou un gant de boxe fixé à un ressort qui vous écrasera le nez. Avec l'aspirine, tout est possible.

Je redépose le couvercle de plastique sur la soupe; j'aime mieux régler ce cas d'intoxication tout de suite.

Je me dirige vers la civière numéro 16. En feuilletant le dossier, j'apprends que, dans un geste de désespoir, l'adolescente qui s'appelle Sarah et qui est âgée de quatorze ans a pris peut-être une centaine de comprimés de 650 mg d'aspirine. C'est sa première intoxication médicamenteuse.

Je peste contre l'aspirine, qui est en vente libre dans toutes les pharmacies et même dans les épiceries; ainsi, n'importe quel désespéré peut acheter un flacon de plusieurs centaines de comprimés. Et l'aspirine peut causer des dommages irréversibles très rapidement, quand ce n'est pas la mort.

— Bonjour, Sarah. Qu'est-ce qui s'est passé?

Sarah est une belle adolescente aux cheveux noirs derrière lesquels se cachent de grands yeux noisette. Elle a un corps de jeune femme mais un visage d'enfant. Avant même qu'elle me réponde, je flaire des problèmes imminents, pour ne pas dire de grosses complications, car le moniteur cardiaque indique que son pouls est déjà à 130; sa fréquence respiratoire est d'environ 20 respirations par minute, ce qui est au-dessus de la moyenne.

Sarah regarde le pied de sa civière, d'un air triste et inquiet. Elle me dit en reniflant :

— J'ai pris des aspirines parce que je voulais mourir, mais maintenant je ne veux plus mourir.

En la questionnant, j'apprends que Sarah était seule à la maison de sa grand-mère, qui est décédée un mois auparavant. La jeune fille avait la clef de la maison, elle avait toujours eu une relation privilégiée avec sa grand-mère. La vieille dame était sa confidente. C'est probablement chez elle que Sarah se réfugiait lorsque cela allait mal avec ses parents, c'est chez elle qu'elle dînait le midi et c'est devant un bon bouillon chaud qu'elle se confiait : histoires de classe, de jalousie entre copines, d'amour caché, d'agréables rencontres ou de déceptions avec les garçons. Sarah adorait sa grand-mère parce que celle-ci avait su garder tout au long de sa vie ces belles et grandes qualités que sont l'écoute et la sensibilité.

C'est donc chez sa grand-mère qu'elle est allée ingurgiter les aspirines. Puis, regrettant son geste, elle a appelé Info-santé, qui a rapidement dépêché des policiers et une ambulance sur les lieux.

— Dis-moi, Sarah, combien de pilules as-tu prises ?

— Quelques-unes…

— Sarah, c'est sérieux : combien exactement ?

Elle se met à pleurer et dit :

— Je ne veux pas mourir, je ne veux pas mourir ! J'en ai pris toute une boîte, je crois qu'il y en avait cent.

— À quelle heure as-tu pris ces pilules ?

— Vers dix heures ce matin, répond-elle en sanglotant.

— Vers dix heures ce matin. As-tu vomi ?

— Non.

— Où est cette boîte d'aspirines, Sarah ?

— Chez mes parents.

— Sarah, dis-moi, as-tu pris autre chose ?

— Non, non…

Elle sanglote et répète :

— Je ne veux pas mourir…

Je pose ma main sur son épaule droite et j'applique une légère pression, pour tenter de ramener la jeune fille à la réalité.

— D'accord, Sarah. Écoute-moi : il va falloir que tu nous aides. Ce que tu as pris, c'est très, très grave.

Je fais une pause pour reprendre mon souffle. Sarah fixe sur moi un regard rempli de larmes et elle me fait un signe de tête affirmatif. Ce regard me rend mal à l'aise, et je baisse les yeux vers le plancher.

Je déteste ce genre de regard, que je connais bien, dans lequel on ne trouve plus la moindre trace de tristesse, mais qui présente un mélange d'angoisse, de frayeur et de panique : c'est le regard des gens face à la mort. Lorsque ce regard se présente, il annonce toujours un affrontement inévitable et direct avec la mort. Je le répète : je déteste ce regard.

— Sarah, ça va être un gros combat de boxe entre toi, nous et ces maudites pilules ,mais on va y arriver, tu vas voir.

Je m'arrête, la regarde et lui fais le signe de la victoire, le pouce en l'air.

— Ça va cogner dur, mais on va gagner. OK?

Elle me regarde, esquisse un sourire et me dit :

— Oui. J'ai suivi des cours d'autodéfense pour les filles, et j'étais la meilleure.

Je déteste la mort, sous toutes ses formes : suicide, accident d'auto, leucémie, cancer, maladie aiguë, guerre, agression. Je crois que j'aime trop la vie pour accepter la mort.

L'autre jour, à la radio, j'écoutais un individu qui disait être allé sur une étoile, Sirius je crois, dans une soucoupe volante avec des extraterrestres. Personnellement, je préfère Air Canada, mais disons que les goûts en matière de voyages ne se discutent pas.

L'entrevue est restée acceptable jusqu'au moment où ce type a commencé à parler de la mort. Il disait pouvoir apprivoiser la mort et faisait tout un discours pour la banaliser : « En soi, la mort est belle; elle est une voie naturelle, un passage vers une autre vie, vers une autre dimension. La mort, c'est l'accomplissement de notre destin! Les extraterrestres me l'ont dit, qu'il ne fallait pas avoir peur de la mort, ni de la souffrance récurrente. » Et blablabla.

Il m'a fait sortir de mes gonds, cet illuminé! Il y a trop de gourous, des hurluberlus de ce genre, des charlatans qui forment des sectes et qui vendent la mort comme on vend des aspirateurs ou des brosses à dents. Ils disent n'importe quoi, au nom de la liberté d'expression. Ils tentent de rendre la mort acceptable, voire de la définir comme l'espoir final, une sorte de solution à nos problèmes.

Personnellement, je hais la mort et ses masques. Je crois qu'elle n'a de raison d'être que pour les gens qui souffrent et qui sont atteints de maladies débilitantes et irréversibles, et qui ont exprimé en toute lucidité le désir de ne pas être gardés en vie par des moyens extraordinaires advenant une complication.

Et, entre vous et moi, est-ce que vous aimeriez être traité par un médecin qui vous dirait qu'il aime la mort? Il me semble que la médecine et l'amour de la mort sont inconciliables.

Je continue à examiner Sarah, tout en discutant avec elle pour diminuer son angoisse, et pour dissimuler la mienne, pendant que les infirmières s'affairent à installer des intraveineuses et prélèvent du sang pour le laboratoire.

— Dis donc, la grande, as-tu un animal à la maison?

— Oui, j'ai un chat, non, je veux dire, c'est plutôt une chatte, elle s'appelle Frimousse.

— Oh! c'est un joli nom, Frimousse. Moi, j'ai un poisson rouge que j'ai nommé Bubulle, je l'ai depuis très longtemps.

Cette phrase fait sourire Sarah. Son expression est douce lorsqu'elle sourit. Décidément, elle est très belle, cette Sarah.

— Il est très vieux, Bubulle. Devine quel âge il a.

— Deux ou trois ans, peut-être?

— Non, il est plus vieux que toi : il a quinze ans.

— Oh! Wow! c'est *cool* : plus vieux que moi!

Elle grimace lorsqu'une aiguille pénètre dans la peau de son avant-bras; je remarque que le site d'insertion de l'aiguille saigne de façon anormale.

— Il doit être gros, Bubulle, s'il a quinze ans.

J'esquisse un sourire qui camoufle mal ma nervosité.

— Non, non, il est resté tout petit, car il vit seul dans un petit aquarium, et un poisson ne grandit pas si son environnement est restreint.

— Ah! c'est spécial… Il vit seul… Pourquoi ne lui as-tu pas trouvé un ami?

Je suis surpris par cette remarque.

— Tu es gentille, tu te préoccupes des autres, c'est bien. Un jour, j'ai acheté un autre poisson rouge, que j'ai appelé Torpille, car c'était un très bon nageur. Je pensais comme toi que Bubulle s'ennuyait, tout seul. J'ai été très étonné de voir que Bubulle n'aimait pas son compagnon et qu'il le poursuivait sans cesse. Un jour, au cours d'une poursuite, Torpille a fait un bond hors de l'aquarium et il est tombé raide mort sur le plancher du salon. Ce fut la fin de Torpille.

Sarah me regarde et dit en soupirant :

— Eh bien! ce Bubulle est antisocial et il a très mauvais caractère.

Décidément, cette Sarah est brillante! Je lui dis en souriant :

— Ah! madame, je vous trouve pas mal rapide pour analyser les situations! Vous allez devenir une grande psychiatre ou une grande psychologue plus tard.

— Oui, j'aime bien analyser les autres.

Je continue, en réprimant un soupir :

— Je vais devoir t'installer un gros tube dans le nez qui ira chercher les restants de pilules dans ton estomac. Puis, par ce tube, nous injecterons une substance noire pour absorber l'aspirine. Nous aurons aussi beaucoup de prises de sang à te faire dans les prochaines heures. Ensemble, on va y arriver, d'accord? Ça va faire un peu mal, mais on n'a pas le choix...

Elle me dit :

— C'est drôle, j'entends des bruits, comme une sorte de sifflement dans mes oreilles.

— Ah, tu es certaine?

— Oui, j'entends comme le bruit d'un ordinateur. Est-ce la machine pour le cœur? demande-t-elle en désignant le moniteur cardiaque.

Au même moment elle blêmit et me dit qu'elle va vomir. Je la fais régurgiter dans un bassin; à ma grande déception, il n'y a que de la bile, aucune pilule, ce qui signifie que tous les comprimés d'aspirine sont déjà au-delà de l'estomac et qu'ils sont en train d'être digérés. Ça complique énormément la situation. J'installe le gros tube par le nez et je le pousse lentement jusqu'à ce qu'il atteigne l'estomac, puis j'injecte dans ce tube la première dose de charbon/sorbitol, substance qui absorbera l'aspirine. Sarah ne bronche pas : elle est très courageuse.

Rapidement, je me rends au poste et annonce à l'infirmière-chef :

— Cette jeune fille est très, très intoxiquée par l'aspirine. Il faut vite envoyer les prélèvements sanguins au labo et mettre des ampoules de bicarbonate dans les solutés. (Le bicarbonate favorise l'élimination de l'aspirine.) Préparez aussi une ligne artérielle, nous aurons sûrement besoin de la dialyser.

Le principal problème avec l'aspirine, c'est qu'elle n'a pas d'antidote. La dialyse permet donc d'éliminer plus rapidement les molécules absorbées.

J'ajoute :

— Il faut aussi aviser la néphrologie que nous aurons besoin d'urgence d'une dialyse.

Sarah est très coopérative. Ce n'est pas toujours le cas avec les adolescents; parfois, ils sont furieux et se débattent, et il faut alors se mettre à plusieurs pour les contenir.

À présent, l'état de Sarah m'inquiète beaucoup : elle fait de la fièvre et respire de plus en plus vite, son cœur bat à 140 pulsations à la minute.

Les complications des intoxications à l'aspirine sont nombreuses. En premier lieu, les patients montrent un rythme respiratoire et un rythme cardiaque accélérés, effets de l'acide libéré en grande quantité dans le sang. Ce sont les premiers symptômes que Sarah a présentés et qui m'ont inquiété tout à l'heure. Ensuite, les produits de dégradation agissent dans l'organisme provoquant de la fièvre, des tintements ou des bourdonnements d'oreilles, des nausées, des vomissements. Lorsque les taux sont très toxiques, l'état neurologique se détériore rapidement : les malades deviennent confus, agités, ils perdent la vue, ils ont des hallucinations et deviennent comateux, ils peuvent faire des convulsions ; tous ces signes révèlent une atteinte sévère du cerveau. Les reins peuvent eux aussi être atteints : ils cessent de fonctionner et n'excrètent plus l'aspirine, ce qui complique le traitement. Les poumons peuvent également être touchés par un phénomène rare et quasi irréversible nommé « syndrome de détresse respiratoire » : ils perdent leur capacité d'échanger l'oxygène et le gaz carbonique, et deviennent littéralement comme deux éponges imbibées de liquide et de sang. Par la suite, si le patient est toujours vivant, tout son système de coagulation sera perturbé, des saignements se produiront un peu partout, et le malade mourra d'hémorragies massives incontrôlables.

En quelques minutes, l'artillerie lourde est installée. On me prévient que le néphrologue, le docteur Jobin, est au téléphone. Je lui explique le cas. Le docteur Jobin décide de déplacer un malade régulier de l'hémodialyse et de passer Sarah dans les plus brefs délais. L'hémodialyse devrait retirer rapidement l'excès d'aspirine de l'organisme. Avec ça et toutes nos autres manœuvres, j'ai confiance de sauver Sarah.

Je demande au policier qui a amené Sarah de retourner sur les lieux ainsi qu'à la maison des parents afin d'en rapporter tout contenant de médicaments qui pourrait être utile.

La situation se détériore tout à coup. Sarah dit :

— Je ne vois plus. Êtes-vous là? Je ne vois rien.

Elle est prise de panique, elle gesticule; nous devons nous mettre à plusieurs pour l'immobiliser.

Je tente de la réconforter :

— Sarah, ne t'inquiète pas, tout va bien aller.

Il n'y a rien à faire, elle devient de plus en plus agitée. Maintenant, elle se débat, crie, hallucine, décrit des monstres rouges et noirs qui s'attaquent à elle, qui veulent la dévorer. Nous la transférons dans la salle de réanimation. Elle se convulse et vomit malgré le gros tube dans son estomac.

Rapidement, je lui donne de forts sédatifs pour qu'elle s'endorme et je la branche au respirateur automatique.

La situation s'est beaucoup dégradée : sa température, malgré de nombreux sacs de glace, est maintenant de 41°C, et le tube installé dans son estomac ramène du sang.

J'appelle le néphrologue et lui décris brièvement la situation.

— Montez immédiatement en dialyse; je vais cesser le traitement d'un patient et la passer tout de suite, me dit le docteur Jobin.

Je commande du sang O négatif, je prends la trousse de réanimation et nous courons en poussant la civière vers le service d'hémodialyse.

Dans l'ascenseur, Sarah est prise d'une seconde convulsion, plus violente que la première. Sa mâchoire est si contractée qu'elle mord le tube de plastique qui la fait respirer. J'injecte deux types de médicaments pour relâcher cette contraction que l'on appelle trismus. Lorsque la contraction des muscles cesse enfin, c'est la pression artérielle qui flanche : elle descend à moins de 60 sur 0. Quelle situation de merde!

Je jure et je blasphème, car l'ascenseur s'arrête à deux reprises à des étages intermédiaires, ce qui nous fait perdre de précieuses secondes. Lorsque les portes s'entrouvrent, les visiteurs se heurtent à notre malade et à nos regards; instantanément ils arrêtent de parler et restent bouche bée. Les portes se referment sur leur visage ébahi.

Enfin, nous arrivons au service d'hémodialyse. En donnant à Sarah des doses massives de dopamine et de Lévophed (deux puissants médicaments), nous réussissons à faire remonter sa pression artérielle et nous la branchons à l'appareil d'hémodialyse.

Malheureusement, dans la demi-heure qui suit, Sarah est emportée par de multiples hémorragies à l'estomac, aux poumons et au cerveau. Malgré plusieurs transfusions sanguines et les médicaments les plus puissants du monde, nous ne pouvons la sauver; son cœur cesse de battre à quinze heures trente.

Je la regarde. Tous, nous restons sidérés devant elle. Pendant un court moment, il règne un profond silence. Le silence qui accompagne toujours la mort.

Puis tout le monde se met à discuter et y va de son commentaire: « Peut-être que si elle était venue deux heures plus tôt... Peut-être que si elle avait eu de l'aide... Peut-être que si elle avait su, elle aurait pris moins de pilules... Peut-être qu'elle a voulu imiter Kurt Cobain, du groupe Nirvana, qui s'est suicidé récemment... Et peut-être que si, et peut-être que peut-être... » Il faut bien trouver une raison, une explication à ce geste, il faut bien trouver une cause valable pour expliquer la mort à quatorze ans.

Je regarde Sarah. Les bras croisés, appuyé au mur, je pense que ça n'a pas de sens de mourir aussi bêtement à quatorze ans. Quel gâchis et quel irréparable malheur!

C'est avec une grande tristesse que j'aide à déposer le corps frêle sur la civière. En le soulevant, je me dis tout bas:

« Bon Dieu, faites que la vie ne s'arrête pas là. » Puis c'est dans le silence, comme si nous étions dans un film muet, que nous poussons Sarah, enveloppée dans son drap blanc, d'un corridor à l'autre vers l'urgence. Tous les gens nous laissent passer, leurs regards se figent à la vue du linceul. C'est ça, la mort; ça se sent la mort; ça se voit, la mort; et ça fait peur, la mort. Lorsqu'elle arrive, tous les humains s'écartent sur son passage.

Arrivés à l'urgence, nous plaçons la civière dans la salle 15, qui est normalement réservée à la réanimation. Je demande à une infirmière si les policiers ont trouvé les parents de Sarah, car nous n'avons toujours pas de nouvelles d'eux. Elle me répond qu'ils sont en route pour l'hôpital. Je vois déjà la scène dramatique qui nous attend. Je discute avec le coroner qui viendra faire l'enquête. « Ce ne sera pas long, me dit-il. C'est évident qu'il s'agit d'un suicide. » L'atmosphère est lourde, tout le monde vaque à ses occupations sans parler.

Je prends le dossier de Sarah et je regarde sa vie défiler sous mes yeux. Je m'attarde à l'empreinte de son petit pied sur la page de la naissance : juillet 1985, elle pesait huit livres et demie, une petite fille en parfaite santé. Par la suite, elle est venue à l'urgence quatre fois : deux fois pour de la fièvre due à des infections virales, une fois pour une infection d'une oreille et une autre fois, il y a quelques mois, pour une entorse à la cheville qu'elle s'était faite pendant ses cours d'autodéfense. C'était un samedi soir, il était vingt et une heures. Le médecin qui l'avait vue avait noté que la jeune fille était seule, ce soir-là, que personne ne l'accompagnait et qu'elle avait de la difficulté à se déplacer avec ses béquilles.

Les cours d'autodéfense, c'est bon, mais notre pire ennemi demeure nous-même, surtout quand on est jeune et seule, parce que nos défenses psychologiques sont fragiles et peu développées à cet âge.

J'inscris au dossier les détails de ce qui restera la dernière consultation de Sarah à l'hôpital. Je ne verrai plus de malades aujourd'hui; je suis épuisé et je dois me garder des réserves pour annoncer la triste nouvelle aux parents.

Un policier, âgé d'une cinquantaine d'années, revient de la maison où habitait la jeune fille. Il rapporte deux lettres de Sarah, dont une destinée à ses parents; la lettre est datée du matin. Il me dit qu'il n'a trouvé aucun autre médicament et me demande comment se porte l'adolescente. Je lui réponds d'une voix brève:

— Elle est morte, nous n'avons pas pu la sauver.

Son regard sincère devient triste.

— Maudit que c'est de valeur, si jeune… On est chanceux d'avoir des enfants qui vont bien; ce sont des cas comme ça qui nous font réaliser notre chance.

Je lui dis, en ouvrant la lettre:

— Vous avez tout à fait raison.

Le policier ajoute qu'il n'a remarqué qu'un seul signe de violence: la télécommande de la télévision avait été fracassée à coups de marteau. C'est sous le marteau qu'il a trouvé les deux lettres.

Il se penche par-dessus mon épaule, et nous lisons les dernières pensées de la jeune Sarah:

Bonjour maman et papa,

Lorsque vous lirez cette lettre, je serai probablement au ciel. Je ne veux pas que vous soyez tristes, ce n'est pas votre faute. La vie est insupportable, c'est pour cela que j'ai décidé d'aller rejoindre grand-maman et de tout recommencer.

Ce n'est pas votre faute, vous n'y êtes pour rien, vous avez toujours tout fait pour moi, je n'ai jamais manqué de rien, mais j'étais écœurée d'être seule, surtout depuis qu'Alexandre m'a laissée.

Papa, j'aimerais que tu m'enterres avec Frimousse, ma vieille couverture de flanelle et la poupée qui appartenait à grand-maman, celle qu'elle m'a donnée à ma première communion.

Ne soyez pas tristes, car je serai toujours près de vous.

Sarah qui vous aime

La deuxième lettre est adressée à son ex-copain:

Cher Alexandre,

Depuis que tu m'as quittée, je suis si seule, je n'ai plus le goût de vivre. Plus le temps passe, plus je suis seule et plus les journées sont longues. Sans cesse je me demande : « Qu'est-ce que j'aurais pu faire pour racheter ton amour? Pourquoi m'as-tu quittée? » Tu ne m'as pas laissé de chance, tu es parti et tout s'est écroulé.

La vie m'est insupportable, j'aime mieux partir et tout recommencer à zéro.

J'espère que tu auras une bonne vie. Au revoir, à bientôt peut-être.

Sarah qui t'aimera toujours

Accompagnés d'un autre policier, les parents de Sarah arrivent. Je vois leurs regards inquiets lorsqu'ils passent devant moi. La mère, anxieuse, regarde un peu partout, dans l'espoir de découvrir le profil de sa fille sur l'une ou l'autre des nombreuses civières alignées dans les salles et les corridors. Son regard croise le mien, je baisse les yeux, je tente de cacher mes émotions. On les installe dans un petit bureau vétuste, où l'on ajoute une chaise pour moi, qui aurai à leur annoncer la trop triste nouvelle.

L'infirmière revient. Je lui demande :

— Que savent-ils?

— Rien. Le policier leur a dit qu'elle avait eu un accident.

— Ah bon, c'est peut-être mieux comme ça. Mais j'aurais préféré que le policier leur en dise un peu plus.

C'est à mon tour maintenant de les rencontrer. Comment leur annoncer cette nouvelle? Jamais, dans nos cours de médecine, on ne nous a montré comment faire face à ce genre de situation. De toute façon, je me demande si un seul de nos grands professeurs d'université avait déjà eu à affronter cette triste réalité.

Nous avions des cours de « sciences du comportement », dans lesquels un professeur, qui à mon avis n'avait jamais mis les pieds dans un hôpital, nous enseignait les théories comportementales que nous devions acquérir pour être de bons médecins. Il nous disait que nous devions garder une certaine distance vis-à-vis de nos « clients »; distance physique, tout d'abord, créée par la présence d'un bureau assez grand — et en chêne massif de préférence — entre nous et le client; distance aussi dans notre façon d'aborder la discussion. Il ne fallait pas démontrer d'empathie face à leurs problèmes, car cela pouvait diminuer la relation de confiance (je dirais plutôt de pouvoir) avec nos clients. Ce grand médecin psychiatre, qui avait publié de nombreuses études qui lui avaient valu plusieurs lettres au bout de son nom, était inflexible dans son discours : « Dans les discussions entre médecin et malades, le médecin ne devrait jamais se placer au même niveau que ses patients, car il pourrait devenir trop empathique, et cela nuirait à la bonne relation avec les malades; cela pourrait même lui nuire, à lui personnellement, en créant une charge émotive trop grande. Le rôle du médecin est de guérir, non pas de vivre la maladie avec ses patients. »

Cela peut paraître sensé et relativement acceptable lorsqu'on est sur un banc d'université, mais sur le front, à l'urgence, c'est très peu réalisable. Ou alors il faut avoir une super « carapace » qui fait de nous des êtres froids et insensibles. D'ailleurs, ma grand-mère, qui est décédée il y a longtemps, disait souvent : « Méfiez-vous des docteurs, avocats, comptables ou juges qui ont trop de lettres au bout de leur nom! Trop d'études, ça éloigne parfois de la réalité et du quotidien du monde ordinaire. »

Cela me rappelle une patiente qui, au fil des semaines, était devenue une amie. J'étais alors étudiant en spécialité dans un grand hôpital universitaire. Cette jeune femme dans la trentaine, atteinte d'un lymphome (cancer des ganglions) en phase terminale, était hospitalisée depuis des semaines lorsque je suis arrivé au département.

Nous ne la visitions jamais au cours des visites médicales avec les autres étudiants et les grands patrons spécialistes. Le spécialiste disait, en feuilletant le dossier et en passant devant sa chambre sans s'arrêter : « Marie est en phase terminale. Il n'y a plus rien à faire pour elle. »

Tous les soirs, après ma journée de travail, j'allais voir Marie. Je modifiais ses doses de morphine pour lui procurer un peu d'apaisement, je discutais avec elle et son copain, qui l'accompagnait depuis le début. Voyant venir la fin, ils décidèrent de se marier dans la chambre d'hôpital, un mercredi, et ils m'invitèrent à la célébration.

Le jour des noces arriva. Ce matin-là, j'avais revêtu un complet chic, avec cravate et souliers de cuir bien vernis, ce qui est inhabituel chez moi, car j'ai tendance à m'habiller à la hâte et à être plutôt du genre « fripé ». Pendant la tournée avec les grands patrons, je dus quitter le groupe pour aller à la noce, non sans avoir donné des explications aux patrons. Ceux-ci trouvèrent l'idée originale et décidèrent de m'accompagner pour voir Marie et boire du champagne eux aussi, même s'ils n'avaient pas reçu d'invitation.

En entrant dans la chambre, je vis Marie, radieuse dans sa robe de mariée blanche. Avec un sourire, elle me dit :

— Robert, tu es le bienvenu. Mais en ce qui concerne tes confrères, je ne les ai pas invités et je ne veux pas les voir ici. Qu'ils quittent ma chambre immédiatement ! C'était à eux de venir me voir avant : ça fait un mois que je suis ici… Au revoir, messieurs !

Et elle leur désigna la porte comme l'aurait fait une reine devant ses serviteurs. Franchement, c'était beau à voir. Avec des sourires crispés qui cachaient mal leur frustration, les grands docteurs quittèrent les lieux, non sans me lancer des regards courroucés.

Avec la famille, nous avons fêté les amoureux. Marie décéda quelques jours plus tard. Et moi, à la fin de ce stage, je reçus mon évaluation : dans toutes les cases, j'avais des mentions « A », qui est un signe d'excellence, sauf dans la case « relations avec les patients », où j'avais la mention « C », ce qui est très moyen. Les patrons avaient noté au bas de l'évaluation : « Très bon candidat sur le plan scientifique, mais sa trop grande empathie avec les patients est contraire à une relation équilibrée avec les malades, ce qui lui nuira dans sa future pratique de la médecine et qui n'est pas conforme aux objectifs de stage de notre institution. »

La voix de Johanne, l'infirmière, me sort de mes souvenirs. Sa voix est chargée d'émotion. L'émotion est, selon moi, l'une des choses fondamentales qui distinguent les êtres humains de la majorité des autres animaux sur la planète. Pourquoi faudrait-il la nier et la cacher à tout moment ?

— Docteur, les parents sont prêts à vous recevoir.

En moi-même, je me dis : « Est-ce que cela vous dérangerait beaucoup d'attendre mille ans avant de me rencontrer ? » Je réponds pourtant à Johanne :

— Ce ne sera pas long, quelques minutes, le temps de finir le dossier.

Le dossier est rempli depuis longtemps, et Johanne le sait bien. J'essaie d'étirer le temps, de reculer le moment où je devrai annoncer la nouvelle qui bouleversera le destin de ces parents. « Comment leur dire ? Par où commencer ? Qu'est-ce qui fera le moins mal ? Qu'est-ce qui sera le moins insupportable pour le reste de l'éternité ? »

Je replie les deux lettres d'adieu que Sarah a laissées, je prends le dossier et je me dirige vers le petit bureau. Juste avant d'arriver, je bifurque vers la salle de bain où je me passe un peu d'eau froide sur le visage.

Est-ce l'effet mystérieux de l'eau ? Je sais tout à coup ce que je vais dire aux parents, comme si tous les morceaux du casse-tête se mettaient subitement en place. C'est si simple que j'aurais dû y penser avant. Oublions les grands bonzes et leurs théories, je vais juste leur parler en gardant les deux pieds sur terre, au niveau du sol, ni trop haut ni trop bas, juste au niveau de l'être humain.

Lorsque j'entre dans le bureau, les parents sont très inquiets. Je m'assois tout près d'eux et je pose le dossier sur mes genoux.

— Bonjour, je suis le docteur Patenaude. Vous êtes bien les parents de Sarah?

Il est évident qu'ils ont conscience de la gravité de la situation : ce n'est pas tous les jours que des policiers vont chercher des parents au tennis et les escortent jusqu'à l'hôpital.

Le père me demande :

— Qu'est-ce qui se passe, docteur?

Juste au moment où je commence à parler, il devient agité et me coupe la parole.

— Nous aimerions voir notre fille.

Il ajoute, avant même que j'aie le temps d'inspirer l'air qui me permettrait d'entamer des explications :

— Vous savez, docteur, j'espère que les raisons sont sérieuses, car ma femme et moi sommes extrêmement énervés par tout ce remue-ménage.

Il fait une pause, se lève, desserre sa cravate.

— En plus, on nous empêche de voir notre fille et on nous enferme dans ce petit local, n'est-ce pas, chérie? On étouffe ici.

Son épouse, les yeux pleins de larmes, lui fait signe de s'asseoir.

Je prends mon courage à deux mains. Tout devient silence. Je perçois la respiration du père et de la mère; quelques centimètres seulement nous séparent. Et je commence :

— Vous savez, il y a quelques mois à peine, j'ai vécu le genre de situation que vous vivez aujourd'hui.

Je reprends une bonne inspiration; j'ai besoin de beaucoup d'air pour faire sortir les mots un à un, car mon passé comporte des blessures et des cicatrices, qui parfois, comme en ce moment, remontent à la surface et écorchent le présent.

— Il n'y a jamais deux situations identiques, bien sûr, mais il y a des similitudes dans certains actes que posent les humains. Il y a quelques mois, ma sœur Diane s'est enlevé la vie parce qu'elle souffrait trop. Je n'ai jamais compris exactement la raison de cet acte. Je sais qu'elle a été dépressive pendant une certaine période. Mais elle a bien caché sa tristesse, et notre famille n'a jamais vu le moindre indice. J'imagine que Diane ne voulait déranger personne. Aujourd'hui, votre fille Sarah a absorbé une quantité massive et mortelle d'aspirine.

À ce moment, la mère s'effondre en larmes, pendant que son époux la tient entre ses bras.

Il me dit :

— Bon, c'est triste pour votre sœur, mais est-ce que Sarah va bien ?

Je continue :

— Au cours des trois dernières heures, nous avons tout fait pour la sauver, pour contrer l'effet des médicaments. Nous avons eu le temps de commencer la dialyse mais, malheureusement, il était déjà trop tard, car la dose était beaucoup trop forte.

Le père redemande :

— Oui, d'accord, elle a pris beaucoup d'aspirine, mais est-ce qu'elle va bien ?

Alors, en inspirant profondément, je suis obligé de préciser :

— Non, monsieur. Malheureusement, elle est décédée.

Le père se met à sangloter à son tour.

— C'était notre seule enfant !

Effondrés, les parents de Sarah pleurent toutes les larmes de leur corps.

Je les regarde, je pose la main sur l'épaule du père, je ne dis rien. Quand bien même je leur dirais que l'aspirine peut être très dangereuse, que ce médicament devrait n'être pris que sur prescription médicale, que peut-être si Sarah était venue plus tôt, que peut-être si elle en avait pris moins, que si l'école et la société étaient plus réceptifs, que dans la vie notre pire ennemi c'est peut-être nous-même et que les cours d'autodéfense sont probablement moins utiles que l'écoute d'un psychologue qui sauverait bien plus de jeunes qu'une savate japonaise, quand bien même je leur dirais tout cela, ça ne donnerait rien, car la souffrance rend sourd; je le sais : j'étais à leur place il y a quelques mois.

C'est un électrochoc, une vision cauchemardesque. Rien de l'extérieur ne peut calmer cette souffrance intime, plus pénible que la plus profonde douleur physique. On ne sent plus la terre sous nos pieds, et il faut alors pleurer, crier, gémir, se pincer, s'infliger des coups, briser des meubles, défoncer des portes, juste pour se rendre compte qu'on est bien sur terre, que ce n'est pas un mauvais rêve, que malheureusement, qu'on le veuille ou non, c'est ça aussi, « la crisse de vie », comme dit le père.

Après un moment, je les laisse seuls; je leur dis de prendre quelques minutes encore avant d'aller voir Sarah, question de se refaire un peu d'énergie avant de retrouver leur fille. Je retourne au poste de l'urgence. J'ai une maudite boule dans l'estomac; ma boîte contenant la soupe aux étoiles, le café et le muffin est toujours sur le comptoir. L'équipe de soir a commencé son travail, nous avons pris un sérieux retard, et la période d'attente est maintenant de plus de quatre heures. Appuyé au comptoir, je regarde le va-et-vient autour de moi. Sans que j'en prenne conscience, ma main droite va piger un morceau de muffin et l'approche de ma bouche. À cet instant, une femme dans la trentaine, à l'allure plutôt débraillée, qui se tient debout près d'une des salles d'examen réservées aux cas mineurs, me dévisage et s'exclame :

— C'est ça, le système! Ça fait quatre heures qu'on attend et, pendant ce temps-là, les docteurs grignotent tranquillement des gâteaux. Le système est pourri.

Je tourne les talons sans dire un mot et me dirige vers le fond de la salle. Les humains sont très décevants parfois.

Les parents de Sarah sont prêts à voir leur fille. Je les accompagne le long d'un corridor jusqu'à une salle à la lumière tamisée où il n'y a qu'une civière recouverte d'un drap blanc, sous lequel on devine le corps de la jeune fille.

Je retire le drap lentement. Je suis stupéfait de constater que le corps de Sarah a pris une couleur bleu acier, un bleu qui ressemble à celui du fleuve Saint-Laurent, l'hiver, à la hauteur de l'île aux Coudres.

Ce bleu est une conséquence de la métabolisation de l'aspirine, qui cause de petites hémorragies sous la peau, lesquelles se colorent de cette teinte après quelques heures. Les parents éclatent de nouveau en sanglots. La mère agrippe les épaules de Sarah en pleurant et lui dit : « Pourquoi, pourquoi ? »

Le père ne peut contenir sa souffrance. Il quitte la salle en fracassant la porte contre le mur, mais il revient quelques secondes plus tard.

L'aumônier de l'hôpital arrive dans la salle et récite le « Je vous salue Marie » en présence des parents. Je sors en leur disant que je reste à leur disposition. Je retourne à la salle d'urgence remplir mes dossiers.

Une demi-heure plus tard, les parents viennent me retrouver, et nous retournons dans le petit bureau. Je leur remets la lettre que Sarah a écrite. La mère, déchirée, me demande :

— Docteur, est-ce qu'elle a souffert avant de mourir ?

— Non, elle n'a pas souffert.

Je vois l'hésitation des parents, qui n'osent pas m'interroger, alors je poursuis :

— À son arrivée, elle était consciente, elle regrettait son geste. Elle n'a jamais vraiment voulu mourir. Je crois que, comme beaucoup trop de jeunes qui font des actes de suicide, elle a agi sur une impulsion, en pensant que la mort la soulagerait et qu'après tout redeviendrait normal… Une impulsion qui, malheureusement, s'est avérée irréversible, une espèce de pacte inconscient avec la mort.

La mère intervient :

— Depuis quelques mois, elle était plus renfermée ; elle se réfugiait dans sa chambre et passait de longues heures à écouter la télévision ou à naviguer sur Internet. Elle était impatiente et parfois colérique, ce qui était nouveau de sa part; nous tentions en vain de lui parler, mais ce n'était pas facile, car nous travaillons tous les deux de longues heures et le soir, personne ne voulait d'affrontement ni de chicane. Nous nous disions que c'était la crise de l'adolescence. Ses résultats scolaires avaient baissé, mais nous pensions que c'était passager, que c'était une conséquence de sa rupture avec ce garçon, Alexandre.

Le père ajoute :

— Mais la situation s'est surtout détériorée depuis la mort de ma mère, il y a quelques semaines. C'est là que tout a déboulé. Nous aurions dû nous en rendre compte avant, mais le travail nous accapare tellement, on n'a même plus le temps de souper ensemble. Nous avions prévu passer des vacances ensemble à Noël...

Sa voix se casse, et je reprends la parole.

— Même si je vous demande de ne pas vous sentir coupables, je sais que vous allez éprouver ce sentiment. Face à un suicide, on a toujours des choses à se reprocher. Le seul fait d'exister et de ne pas avoir été là pour empêcher un tel geste est une source de culpabilité... Je ne sais pas... c'est la chose la plus difficile que nous ayons à expliquer et à comprendre... Maintenant, vous allez rentrer à la maison en taxi; vous n'êtes pas en état de conduire, vous pourriez avoir un accident.

Les parents se lèvent, et alors la mère me demande :

— Vous, docteur, comment ça s'est passé pour votre sœur?

Étonné par cette question, j'hésite avant de répondre :

— De façon à la fois semblable et différente. Ma sœur s'est jetée en bas du pont Jacques-Cartier.

Je fais une pause, avale ma salive et ajoute :

— Avec le temps, on apprend à vivre avec ce souvenir, même si on n'oublie pas le geste et qu'on ne l'accepte jamais.

Nous marchons vers la sortie. Je pense à cette nuit au milieu de l'océan Atlantique, le soir où j'étais étendu dans le cockpit de mon voilier : je regardais les astres valser dans le ciel, les étoiles se balançaient au rythme de la longue houle qui continuait son chemin pour aller mourir à des milliers de kilomètres, et je m'étais surpris à penser à ma sœur Diane. Une phrase m'était venue à l'esprit : «Tu avais beau souffrir, ce n'était pas la meilleure solution pour soulager tes souffrances. Tu as fait une connerie, avoue-le donc!»

Je repense à cette grande vague qui avait emporté le voilier sur une longue glissade. Un hasard, probablement...

Quand les parents de Sarah sont dans le taxi, je retourne à l'urgence.

La boîte contenant mon festin de midi dort toujours sur le comptoir. Je jette la soupe aux étoiles et tout le reste dans la poubelle, fais mes salutations à l'équipe du soir et m'apprête à rentrer à la maison.

Dans l'auto, je repense à cette journée. Il est trop tard pour aller courir à la montagne. Tant pis, j'irai courir dans les rues tranquilles de la ville; aujourd'hui plus que jamais j'ai besoin de ma drogue : le sport.

Au moment où je passe sous un pont, mon regard est attiré par un graffiti tracé à la peinture rouge sur un des piliers :

Sophie, je ne peux vivre sans toi.
Sébastien

Chapitre 3

Le suicide chez les adolescents

Loin de moi l'idée de me considérer comme un expert sur la question du suicide. Je veux seulement vous communiquer quelques résultats de statistiques et de recherches faites sur le sujet, et vous faire part de mes impressions et de mes hypothèses sur le suicide, en tant que médecin travaillant au service des urgences, mais aussi en tant que frère d'une femme qui s'est suicidée.

Un bon nombre des connaissances que j'ai acquises sur le sujet et des renseignements que je vous livre ici sont tirés de lectures que j'ai faites et que je vous recommande fortement (voir à la fin du chapitre, p. 179).

On a tous été en contact, un jour ou l'autre, avec quelqu'un qui a tenté de se suicider ou qui, malheureusement, a réussi son geste.

Pendant mon adolescence, j'ai côtoyé au moins trois jeunes qui se sont suicidés, tous des gars. L'un d'eux, Michel, était un ami, et sa mort m'avait particulièrement troublé.

Michel était un adolescent de quatorze ans dont la mère était décédée quelques mois après l'avoir mis au monde. La cause du décès était nébuleuse, car Michel gardait cette histoire secrète.

Après la mort de Michel, on nous apprit que sa mère s'était enlevé la vie par suite d'une dépression. Le père ne s'était jamais remarié et il élevait seul ses deux enfants, Michel et Manon.

Michel était un peu grassouillet, il n'était pas très bon dans les sports, mais il obtenait d'excellents résultats scolaires; c'était le genre bon vivant, à l'esprit vif, toujours à blaguer en classe pour amuser les autres, et qui, souvent, servait aussi de tête de Turc à ses confrères. Je l'aimais bien, car il était drôle et avait bon caractère. Il suivait toujours notre équipe de hockey et nous encourageait dans tous les tournois; c'était notre porteur d'eau, celui qui distribuait les serviettes et les quartiers d'oranges sur le banc, celui à qui les gars lançaient les serviettes humides après les matchs, celui qu'on enfermait tout habillé dans la douche après une victoire.

En classe, c'était aussi Michel le «bollé» qui nous aidait en algèbre et en composition, et c'est sur lui qu'on copiait les travaux de chimie et de physique.

J'ai toujours eu l'impression que derrière son masque de fanfaron Michel cachait une grande tristesse, une espèce de vide qu'il tentait de combler par des excès de gentillesse et par des blagues. Il cherchait ainsi à attirer l'attention, un peu d'affection, il essayait sans doute de se faire accepter dans le groupe fermé des «Boys» de l'équipe de hockey, ces gars machos qui projetaient une plus belle image, une image plus à la mode, qui avaient du succès auprès des filles, qui se vantaient à quatorze ans de tout savoir sur le corps et la sexualité des femmes.

Un jour, Michel délaissa le groupe. Ses résultats scolaires diminuèrent, il devint agressif avec tout le monde et même avec un professeur, ce qui provoqua son expulsion de l'école pour une semaine. Je me souviens d'être allé le chercher chez lui afin qu'il se joigne à l'équipe pour un tournoi; il refusa carrément et m'envoya promener en m'injuriant.

Quelques jours plus tard, il revint à la polyvalente. Il avait un comportement euphorique, il blaguait, faisait toutes sortes de grimaces et de mimiques; ses imitations de professeurs étaient absolument remarquables. Pendant les pauses, les filles et les gars attroupés autour de lui riaient de ses conneries, toutes plus drôles les unes que les autres.

À plusieurs reprises, je remarquai les regards que Michel coulait vers Mireille, une blonde aux yeux bleus, la plus belle fille de la polyvalente, celle qui année après année était toujours élue Reine du carnaval.

Mireille n'avait qu'un seul défaut : Richard. Eh oui! Mireille sortait avec Richard, le capitaine de l'équipe de hockey, le plus gros et le meilleur joueur de nous tous! En plus, Richard était jaloux comme la peste.

Comment la reine Mireille aurait-elle pu éprouver la moindre attirance envers les disciples inférieurs que nous étions? C'était impossible, tous les gars avaient compris ça dès le début. Tous les gars sauf un : Michel. Michel le pitre, le moche, le fanfaron, le fou de la reine. Elle était bien trop belle pour lui, et lui, bien trop moche, c'était l'évidence même.

Puis, un après-midi de février, Michel s'enleva la vie en s'asphyxiant au moyen de la bonbonne de gaz propane d'un chalumeau de plomberie ingénieusement relié à un tube, lui-même pénétrant dans un sac de plastique hermétiquement fermé autour de son cou.

Lorsque j'ai appris la triste nouvelle et que j'ai su que Michel avait laissé à Mireille une lettre d'amour dans laquelle il expliquait qu'il ne pouvait vivre sans elle, je me suis dit : « Quelle connerie, mon pauvre Michel! Quelle connerie tu as faite! »

Je ne suis même pas certain que Mireille ait lu la lettre que Michel lui a écrite, parce que le gros Richard l'a interceptée et déchirée. Même après sa mort, il était jaloux. C'est con, n'est-ce pas?

De plus, lorsque la poutine a été « inventée », quelques années après sa mort, ces deux-là se sont mis à prendre du poids. Avec le temps, ils sont devenus obèses, et laids, et ils sont demeurés stupides. Le beau Richard n'a jamais fait partie de la Ligue nationale de hockey. Quant à Mireille, je ne sais pas ce qu'elle est devenue. C'est con, n'est-ce pas?

Mais toi, mon vieux, si tu n'avais pas fait ce geste malheureux, tu serais probablement ici en train de rire avec moi. C'est con, n'est-ce pas?

Le pire, je crois, c'est que ta mort n'a servi à rien, sauf peut-être à faire beaucoup de peine à ton père et à ta sœur. Et, vingt-cinq ans plus tard, il n'y a presque plus personne qui pense à toi sur terre. C'est con, n'est-ce pas? J'espère pourtant que certains de nos amis qui liront ce passage te reconnaîtront et penseront à toi, car ce serait quand même vraiment dommage qu'il n'y ait plus personne, à part moi et ta famille, pour se souvenir de toi.

Voilà, je vous ai raconté l'histoire de Michel, atteint de dépression, dont la mère avait été dépressive et s'était suicidée; l'histoire de Michel, qui s'est enlevé la vie pour rien. Et je persiste à croire que c'est très con de mourir à quatorze ans pour rien. Très con et surtout très, très triste.

Qu'il s'agisse de Michel, de Sarah, de Patrick, de Diane ou de n'importe quel jeune qui tente de s'enlever la vie ou qui parvient à se suicider, tous ont un point en commun : la *dépression*. Au moment où ils commettent cet acte, tous souffrent à des degrés divers et de façon plus ou moins différente de cette maladie.

Comme vous le verrez dans le tableau de la page 158, j'ai volontairement inscrit la dépression comme facteur central de l'acte du suicide.

Comment un adolescent peut-il devenir déprimé au point de s'enlever la vie? Voilà une question dont la réponse est très complexe.

Afin de comprendre toute la dynamique qui entoure le développement de l'être humain, nous partirons de la naissance et nous examinerons les principaux facteurs qui influencent le caractère et la personnalité des enfants.

À la naissance, déjà, nous nous distinguons les uns des autres par nos traits de caractère. Des études tendent à démontrer qu'une bonne partie de ces traits de caractère sont transmis génétiquement, c'est-à-dire par les gènes de nos parents. Nous ne naissons donc pas tous égaux sur ce plan.

En vieillissant, nous sommes influencés par l'éducation que nous recevons de nos parents, par nos relations avec d'autres individus, par l'environnement et par toutes les expériences positives et négatives que nous vivons chaque jour.

Notre caractère se forge à mesure que forces et faiblesses s'accumulent, façonnant au fil des années notre personnalité.

Toute notre vie, jusqu'au moment de notre mort, nous cheminons à travers les expériences heureuses et malheureuses, comme si nous parcourions un sentier de montagne avec ses pics, ses creux et ses crevasses, en transportant un sac à dos rempli des forces et des faiblesses qui nous permettent d'accomplir ce voyage qu'est la vie.

Nous devons nous adapter à toutes les situations; avec le temps et les expériences, nous finissons par éviter le négativisme, nous acceptons mieux les souffrances morales et physiques, nous trouvons plus facilement le chemin quotidien du bonheur. Mais ce cheminement ne se fait pas nécessairement au même rythme pour tous les individus.

Contrairement à ce que pensent un bon nombre de gens, je crois que les adolescents d'aujourd'hui ont beaucoup plus de responsabilités que nous en avions autrefois.

Les adolescents d'aujourd'hui me semblent souvent seuls : ils viennent fréquemment de familles plus petites ou de familles éclatées, leurs parents ont souvent des horaires de travail très chargés; bref, ils sont de la génération des enfants qui vivent avec la clef au cou et rentrent seuls à la maison le soir après l'école. Ils viennent même à l'urgence seuls, comme Sarah l'a fait lorsqu'elle a eu une entorse à la cheville.

Ils ont à vivre des angoisses telles que le chômage, les choix de carrière hâtifs, les dangers d'une sexualité plus accessible — il suffit de penser au sida et à la mort, qui est sa conséquence — les tentations des drogues, de plus en plus fortes et de plus en plus nocives.

Il y a vingt ans, l'adolescence commençait vers quatorze ans pour les filles; aujourd'hui, à douze ans, beaucoup d'adolescentes ont l'air de vraies femmes. Les gars, eux, commençaient à se soucier de la vie et des filles vers quinze ans; aujourd'hui, ils ont à peine treize ou quatorze ans qu'ils discutent déjà de leurs préférences quant aux divers types de condoms.

Lorsque je vois des jeunes à l'urgence, je me demande fréquemment : « En 1999, où se termine l'enfance? où commence l'adolescence? » C'est bête, mais moi qui ai étudié la médecine à l'université pendant plus de huit ans, je ne peux pas répondre à cette question fondamentale.

J'ai parfois l'impression qu'on leur a fait sauter des étapes, qu'ils ont délaissé les poupées et les trains électriques un peu trop tôt pour se jeter dans le merveilleux monde des adultes, et qu'ils doivent affronter celui-ci avec un système de défense psychologique immature.

Le système de défense psychologique

Ainsi, serait-il possible que des adolescents d'aujourd'hui aient du mal à vivre certaines difficultés qui nous paraissent banales?

Serait-il possible qu'ils n'aient pas traversé de façon adéquate, et à leur propre rythme, les étapes du développement de leur personnalité entre l'enfance et l'adolescence? Serait-il possible qu'ils soient trop jeunes pour vivre les responsabilités de l'adolescence, qu'ils n'aient pas acquis les capacités d'affronter certains problèmes de la vie? Arrivant prématurément dans l'adolescence, ils ont de grandes difficultés à faire face à des situations courantes, comme le refus ou la rupture d'un premier amour; et leur détresse ou leur impuissance face à ces situations peut même les amener à vouloir en finir avec la vie pour tout recommencer à zéro.

Nous naissons tous avec un système de défense psychologique qui entre rapidement en relation avec le monde qui nous entoure; ce système s'ajuste, se renforce au fil des ans et nous protège contre la souffrance morale.

L'analogie est remarquable avec notre système immunitaire qui, dès notre premier souffle, entre en fonction pour combattre les microbes et développe au cours des années tout un arsenal d'anticorps qui nous protège des attaques extérieures.

Dès la naissance, il y a des individus plus fragiles que d'autres, tout comme il y a des enfants plus sensibles aux infections. Un encadrement heureux exercé par des parents équilibrés, affectueux, compétents et responsables renforce un enfant qui est fragile. L'inverse est aussi vrai : des parents immatures et irresponsables peuvent détruire un enfant bien nanti sur le plan psychologique.

Le système immunitaire fabrique des anticorps pour prévenir une réinfection, notre système de défense psychologique emmagasine nos expériences douloureuses sous forme de mémoire; c'est ce que l'on appelle le «vécu» des individus. Notre vécu, c'est notre arsenal d'expériences passées, ce sont nos anticorps pour nous aider à prévenir et à traverser les événements douloureux.

Tout comme la vaccination nous protège contre les infections qui pourraient nous affecter, nous avons aussi la possibilité d'observer des faits douloureux vécus par d'autres individus et de les emmagasiner dans notre système de défense psychologique afin de nous protéger contre ces mauvaises expériences sans avoir à les vivre; notre capacité d'observation devient alors une ressource extraordinaire.

Bien sûr, rien n'est parfait en ce monde; c'est ainsi que des infections sont parfois réactivées chez l'adulte. Par exemple, la mononucléose peut à l'occasion récidiver, de même que la varicelle peut réapparaître chez l'adulte sous la forme d'une infection douloureuse de la peau nommée zona.

Notre système immunitaire peut s'affaiblir par suite d'une mauvaise hygiène de vie (stress, excès de travail, mauvaise alimentation, drogues, alcool...) ou d'une maladie secondaire (cancer, sida ou autre).

Il en va de même pour le système de défense psychologique : si, à un moment donné de votre vie, vous faites des excès d'alcool ou de drogue, que votre rythme de vie est complètement déséquilibré par excès de travail, que votre hygiène de vie est chamboulée, vous serez en danger de glisser vers la dépression.

De plus, certaines maladies psychiatriques telles que la schizophrénie ou une maladie à forme bipolaire influencent directement le système de défense psychologique.

On reconnaît aujourd'hui le lien qui existe entre ces facteurs et la baisse de certaines hormones dans le cerveau, telle la sérotonine (neurotransmetteur cérébral), qui joue un rôle dans la dépression majeure.

Notre système de défense psychologique est donc unique et en perpétuelle réorganisation, car notre vie est unique et en constant changement; de multiples facteurs extérieurs viennent mettre nos défenses à l'épreuve et, par conséquent, il faut constamment nous adapter à notre environnement.

Les paradoxes de notre société face à la vie et à la mort

Le geste désespéré du suicide remet inévitablement nos valeurs en question, tant à l'échelle de l'individu qu'à celle de la société.

Le suicide va à l'encontre d'une des certitudes les plus fondamentales de la société, qui prône la vie «à tout prix».

Nous trouvons en effet normal de dépenser des sommes astronomiques pour prolonger la vie, par des chirurgies spécialisées, des greffes d'organes, des moyens extraordinaires de réanimation; tout est acceptable pour retarder la mort, peu importe l'âge du patient, son espérance de vie ou les coûts associés aux traitements.

Nous trouvons également normal d'envoyer des hélicoptères et des avions en missions de sauvetage pour retrouver un chasseur perdu en forêt ou un navigateur en détresse dans la tempête.

Par ailleurs, notre société agit de plus en plus en cachant la mort, comme si celle-ci n'existait plus. Autrefois, les mourants étaient gardés à la maison, au sein de la famille, en présence des enfants et des petits-enfants; les morts étaient ensuite exposés dans le salon de la maison familiale, puis enterrés au cimetière à l'ombre du clocher de l'église, située au centre du village, au centre de la communauté.

Aujourd'hui, nous avons repoussé la mort loin des maisons, à l'écart des villages et des villes, et nos défunts ancêtres sont désormais bien éloignés de nos regards quotidiens.

On meurt désormais à l'hôpital, parfois même — pour les cas extrêmes qui nécessitent la mise en place de toutes les ressources de la médecine moderne — dans la solitude la plus complète, parmi les appareils d'un service de soins intensifs, qui empêchent toute communication entre le malade et sa famille.

De nos jours, on observe la plus grande discrétion face à la mort, car celle-ci ne doit pas détourner les vivants de leur devoir de vivre. Je me demande toutefois si cette attitude n'engendre pas une conception trop abstraite et même fausse de la mort, surtout chez les jeunes.

Très souvent, en effet, j'entends des jeunes dire : « La mort, ce n'est pas très grave; j'aime mieux mourir et tout recommencer à neuf. » Pensée magique qui va bien au-delà du sentiment de pouvoir et d'invulnérabilité qui caractérise l'adolescence.

Je redoute de plus en plus cette conception magique de l'existence, qui laisse entendre que la vie est un scénario de cinéma que l'on écrit et que l'on peut reprendre plusieurs fois à sa guise avant de trouver la recette qui mènera au bonheur sans fin. Comme s'il était possible de rembobiner le film de sa vie et de recommencer à zéro.

Je crois que nous cachons la mort surtout parce que nous en avons peur et que nous voulons éviter la souffrance qu'elle provoque; car la mort, qu'on le veuille ou non, nous blesse profondément. Plus vite on s'en éloignera, croyons-nous, plus vite on oubliera et moins on souffrira. Or, je crois que c'est tout le contraire qui se passe.

Lorsque ma sœur Diane s'est suicidée, j'ai entendu toutes sortes de commentaires de la part de gens bien intentionnés : « C'est mieux comme ça; ainsi, elle ne souffrira plus », ou encore « La vie continue » et « Au moins, c'est elle qui l'a choisi ». Ces commentaires montrent bien notre difficulté à faire face à la douleur qui entoure la mort et notre volonté de l'éviter.

La mort d'un être cher provoque une réaction émotive qu'il ne faut pas chercher à esquiver, car cette réaction a une fonction psychologique importante pour les individus qui survivent. Peut-être même sert-elle tout naturellement à renforcer l'instinct de vie des survivants, surtout celui des jeunes. Alors que j'étais médecin en Afrique, il y a quelques années, je fus envoyé au pavillon de pédiatrie d'un hôpital situé dans la brousse camerounaise. Les conditions de vie des enfants étaient très difficiles; beaucoup étaient atteints d'infections graves telles que la tuberculose, la malaria et la méningite. Les soins fournis dans ces pays étant très limités, tous les membres de la famille participaient aux tâches consistant à alimenter, laver et vêtir les malades.

Chaque semaine, malheureusement, plusieurs enfants malades décédaient. Chaque fois qu'il y avait un décès, toutes les familles se joignaient à la famille en deuil : on déposait le corps au milieu de la cour de l'hôpital et, pendant des heures, on se relayait pour chanter les chants rituels de la mort, qui ressemblent à des gospels américains. Puis la famille retournait dans son village en marchant, parfois des dizaines de kilomètres; le père marchait en tête en portant le corps frêle et, chaque fois qu'ils croisaient un village ou une maison, des inconnus chantaient leurs condoléances à la famille en deuil.

Lorsque le mourant était un grand-parent, tous ses enfants et petits-enfants se rassemblaient à son chevet; puis, à la mort de l'ancêtre, ils accomplissaient les rites funèbres accompagnés de chants. Tout cela rappelle ce qu'on vivait dans notre société au début du siècle. Notez que dans ces pays, comme au début du siècle dans les pays industrialisés, le suicide est très rare.

Notre société actuelle, qui attache un tel prix à la vie, ne peut évidemment pas comprendre que quelqu'un lui dise ouvertement: « Merci, mais je ne veux plus de cette vie. Je veux mourir. » Même les compagnies d'assurances refusaient jusqu'à tout récemment de couvrir la mort par suicide. C'est presque dire qu'il y a deux types de mort, la bonne, « la naturelle », et la mauvaise, « la suicidaire ».

Lorsque je réfléchis à cette conception de la vie, un autre paradoxe me vient à l'esprit: pourquoi notre société accepte-t-elle d'envoyer les jeunes à la guerre? Les politiciens, qui prônent le caractère sacré de la vie, devraient en toute logique envoyer les gens âgés à la guerre, pas les jeunes. Ainsi, on protégerait des vies précieuses pour la société, car un adolescent a une espérance de vie bien plus grande qu'une personne de soixante ans. Et un tel choix donnerait aussi tout son sens à cette phrase que l'on entend si souvent dans la bouche des politiciens: « Il faut agir ainsi maintenant, pour protéger nos enfants et les générations futures. » Je crois également qu'on résoudrait ainsi bien vite le problème de la guerre: si, en cas de conflit, tous les pays étaient obligés d'envoyer d'abord les gens âgés au front, cela ferait réfléchir les vieux politiciens et ils hésiteraient avant de déclarer une guerre...

Ce que les statistiques disent sur le suicide

On entend souvent dire que c'est au Québec que le taux de suicide chez les jeunes est le plus élevé, mais certains chercheurs affirment qu'il faut prendre ces chiffres avec des pincettes car, au Québec, les coroners qui étudient les causes de décès violents ne produisent pas leurs rapports dans les mêmes conditions que les coroners des autres provinces. En Ontario, par exemple, le coroner n'a que trois jours pour remettre son rapport, ce qui fait qu'un nombre plus important de décès sont catalogués comme « non déterminés »; au Québec, une bonne partie de ces décès sont considérés comme des suicides, ce qui augmente automatiquement les statistiques.

Comme il est encore plus difficile de faire des comparaisons à l'échelle internationale, il vaut mieux être prudent dans l'interprétation des statistiques.

Durant la période 1960-1990, le taux de suicide aurait beaucoup augmenté; *en 1990, le suicide est devenu la première cause de mortalité chez les jeunes dépassant le taux de décès par accidents de la route.*

Notons qu'en 1969 le taux de suicide chez les jeunes de moins de dix-neuf ans était de 6 cas par tranche de 100 000 habitants; en 1999, il est de 34 cas par tranche de 100 000 habitants, soit cinq fois plus. Il faut cependant être critique par rapport à ces données, car à cette époque les enquêtes des coroners sur les causes de décès n'étaient pas aussi rigoureuses qu'aujourd'hui. En outre, la majorité des malades souffrant de troubles mentaux étaient alors gardés sous haute surveillance dans de grands hôpitaux; de nos jours, nombre de ces malades vivent hors des institutions, et une certaine proportion d'entre eux se suicident.

Le taux global de suicide au Québec est d'environ 17 cas par année par tranche de 100 000 habitants, ce qui est comparable au taux dans les autres provinces canadiennes et dans les autres pays industrialisés. Là où les statistiques sont inquiétantes, c'est lorsqu'on analyse le taux de suicide par tranche d'âge. C'est ici, chez les jeunes de moins de vingt-quatre ans, qu'il est le plus élevé : environ 34 par 100 000, par rapport à 22 par 100 000 aux États-Unis, à 18 par 100 000 en Suède et à 9 par 100 000 au Japon.

Le taux de suicide diffère également selon les régions et les communautés. Ainsi, chez les jeunes autochtones, le taux de suicide est de 275 par tranche de 100 000, ce qui est six fois plus élevé que pour les autres jeunes Canadiens. En Abitibi et au Saguenay, le taux est de deux à trois fois plus élevé que dans la région de Laval et sur la Côte-Nord.

Notons aussi que le taux de suicide est six fois plus élevé chez les garçons que chez les filles : ainsi, il est de 41 par 100 000 chez les garçons, alors qu'il est de 7 par 100 000 chez les filles. Mais les filles font trois ou quatre fois plus de tentatives que les garçons. Certains regroupements gais croient que les hommes ont plus tendance à se suicider parce qu'ils auraient le sentiment de ne pas se conformer aux normes généralement admises de la masculinité. Par ailleurs, certains mouvements féministes affirment que, grâce aux acquis des dernières décennies, les jeunes femmes savent mieux qui elles sont, où elles s'en vont et ce qu'elles veulent devenir, car les combats féministes leur ont tracé un chemin social dans lequel elles peuvent s'engager. Cette hypothèse, bien qu'intéressante, n'explique pas le fait que les filles font trois ou quatre fois plus de tentatives de suicide que les garçons. Pour ma part, je crois simplement que les garçons, à cause de leur chromosome Y, sont beaucoup plus impulsifs et violents que les filles en général. C'est pourquoi, quand ils décident de mettre fin à leurs jours, ils ont recours à des moyens beaucoup plus violents et « efficaces », comme les armes à feu, la pendaison et l'intoxication au monoxyde de carbone ; ils parviennent donc plus souvent à se suicider.

Le nombre de suicides par armes à feu est beaucoup plus élevé aux États-Unis parce qu'il est beaucoup plus facile de se procurer une arme dans ce pays.

Pour des raisons inconnues, c'est en automne et au printemps que les maladies affectives se manifestent le plus.

Ce que les statistiques ne disent pas sur le suicide

Beaucoup de décès sur la route sont des suicides « déguisés ». Il n'est pas rare de voir à l'urgence de jeunes conducteurs qui sont décédés dans des accidents de la route inhabituels. Pour des raisons complètement inexpliquées, ils ont percuté un camion, un poteau électrique ou un pilier de pont à haute vitesse.

Beaucoup de jeunes qui meurent par suite de la consommation de drogues dures sont classés dans la section des décès par intoxication; il s'agit pourtant souvent de suicides, qui ne sont pas répertoriés comme tels.

Les statistiques sur le suicide excluent aussi les récidivistes et les désespérés qui, dans un ultime geste de désespoir, se jettent, l'arme au poing, devant des policiers, qui n'ont alors d'autre choix que de se défendre et de les abattre.

Notons enfin tous les crimes liés à des gestes suicidaires : l'époux qui tue sa femme et ses enfants avant de se suicider ou la mère qui emporte avec elle son enfant dans le suicide ne sont pas répertoriés dans les statistiques sur le suicide. Ces décès sont en général catalogués comme morts violentes, crimes passionnels ou accidents de la route. Par contre, ils sont en relation directe avec des actes suicidaires et augmentent le nombre total de décès; je crois donc qu'il faut en tenir compte, même si nous ne les inscrivons pas dans nos statistiques.

La dépression chez les jeunes : ses symptômes

Depuis la sensibilisation récente au phénomène de la montée du taux de suicide, chacun y va de sa théorie personnelle pour expliquer cette croissance. L'un blâme la société, à l'instar d'un politicien qui, pendant la dernière campagne électorale au Québec, déclarait au débat des chefs : « Il faut que la société redonne espoir aux jeunes, car c'est au Québec que le taux de suicide est le plus élevé au monde »; un autre blâme le système scolaire; un autre encore accuse la drogue, ou la musique moderne, ou la violence à la télévision; d'autres incriminent tantôt l'éclatement de la famille et la pauvreté, tantôt l'absence de spiritualité, tantôt les abus sexuels; certains regroupements d'homosexuels affirment même que nombre de jeunes adolescents qui se suicident sont des gais qui ne peuvent exprimer leur orientation sexuelle. Comme si les adolescents qui s'enlèvent la vie ne pouvaient être tout simplement atteints d'une maladie nommée dépression.

Toutes les nouvelles études sur le sujet confirment que de quatre-vingt-dix à quatre-vingt-quinze pour cent des adolescents qui se suicident souffrent d'un trouble psychiatrique.

Et les facteurs précités seraient des éléments déclencheurs de la dépression, en particulier la drogue et l'alcool, qui accentueraient l'état dépressif sous-jacent.

En ce qui concerne les cinq à dix pour cent d'adolescents qui ne démontraient aucun trouble psychiatrique au moment du suicide, les mêmes études indiquent que ces jeunes avaient souvent des antécédents familiaux de maladies psychiatriques ou qu'ils avaient été soumis récemment à des stress extrêmes, comme la perte d'un être proche, un contact avec la justice (arrestation, emprisonnement), et qu'ils avaient accès à une arme à feu, ce qui favorise le succès d'un geste impulsif.

Comme le souligne D^re Patricia Garel, « la dépression chez l'adolescent est très complexe, il n'est pas facile d'y voir clair, car à l'adolescence tout est en ébullition, l'esprit comme le corps. On croit généralement que la dépression est réservée aux adultes. Rien n'est plus faux, car la dépression frappe autant l'enfant et l'adolescent que l'adulte* .»

Le diagnostic de dépression à l'adolescence est très ardu à poser, car de grands changements physiologiques, émotionnels et sociaux se produisent à cet âge. Il est souvent difficile de tracer la limite entre la normalité et le pathologique.

L'adolescence étant une période de transition difficile à vivre, nombre de cliniciens attribuent les sautes d'humeur des adolescents à des bouffées d'hormones ou à des ajustements émotionnels, à des réactions à la famille et aux pairs; aussi hésitent-ils à leur apposer une étiquette de « dépressif» qui les marquerait pour la vie.

Parler de dépression, c'est mentionner un ensemble de sentiments que nous avons tous éprouvés à un moment ou un autre de notre existence: la tristesse, le découragement, le désespoir, l'impression qu'on ne s'en sortira jamais. Lorsque l'idée de suicide apparaît comme la seule solution pour mettre un terme à ces souffrances, on parlera de dépression.

La dépression chez les jeunes est comme toutes les autres maladies: son diagnostic repose sur un ensemble de symptômes, c'est-à-dire des signes qui, pris un à un, ne sont pas révélateurs, mais qui constituent un tableau significatif lorsqu'ils s'ajoutent les uns aux autres.

Voici un certain nombre de signes qui peuvent révéler une dépression.

La *difficulté à se concentrer*, qui entraîne invariablement une diminution du rendement scolaire.

La *difficulté à prendre des décisions.*

Le *manque d'énergie* ou l'*impression d'épuisement* associés à des *problèmes dans le cycle du sommeil,* caractérisés par de l'insomnie matinale (l'adolescent s'éveille très tôt et n'arrive plus à se rendormir), ou de l'hypersomnie (l'adolescent dort de très longues périodes et se sent toujours fatigué). Il est

---

*   Revue *RND*, 1995 : « La dépression chez l'adolescent ».

important ici que le médecin élimine l'hypothèse de maladies telles que la mononucléose, l'hypothyroïdie ou le diabète.

Des *problèmes dans l'alimentation* : perte d'intérêt pour la nourriture et baisse d'appétit allant jusqu'à la *perte de poids* et même parfois jusqu'à l'anorexie ou, au contraire, hyperphagie, dans laquelle l'adolescent se nourrit de n'importe quoi et qui s'accompagne d'un *gain important de poids*; on dit alors du jeune qu'il est boulimique.

La *tristesse prolongée* qui ne s'explique pas par des événements dans la vie de la personne. Chez l'adolescent, la tristesse peut ne pas être présente; on dira alors de la dépression qu'elle est «masquée». Elle peut par contre se manifester par de l'*agressivité* ou de l'*irritabilité* se traduisant par des *comportements délinquants* et des *fugues*. Certains adolescents déprimés sont les élèves préférés des professeurs, car ils sont tranquilles et ne dérangent pas l'entourage. Lorsque la dépression s'accentue, ils en viennent à s'enfermer dans un mutisme quasi complet; ils laissent leurs résultats scolaires se détériorer; ils passent une grande partie de leur temps enfermés dans leur chambre à écouter de la musique, à regarder la télévision ou à naviguer dans Internet; ils ont un comportement asocial, impatient et agressif; souvent, ce comportement éloignera les amis et la famille, ce qui ne fera qu'approfondir la solitude et la dépression. Les parents sont souvent portés à punir le jeune parce qu'ils attribuent son comportement à la crise de l'adolescence. Pourtant, plus de quatre-vingts pour cent des jeunes traversent l'adolescence sans crise.

Parfois, lorsque le jeune a pris la décision irréversible de s'enlever la vie, il retrouve un comportement agréable empreint de gentillesse envers ses proches, très différent de celui auquel son entourage était habitué. Il deviendra très gentil, il aura des paroles réconfortantes pour ses parents, les remerciant pour le bonheur qu'ils lui ont donné, il achètera des cadeaux à ses frères et sœurs; il pourra même devenir euphorique car, sa décision étant prise, il ne ressent plus le poids de la souffrance morale, il se sent libéré.

La *somatisation*, caractérisée par des céphalées, de la fatigue, des maux de ventre et des nausées.

Le *comportement sexuel* peut devenir débridé. C'est généralement en réponse à leurs pulsions sexuelles que les adolescents s'adonnent à la sexualité, et certains ont des pulsions plus fortes que les autres. L'adolescent déprimé peut dans certains cas se livrer à la sexualité comme à une drogue, pour oublier ses problèmes; cela arrive surtout chez les adolescents de familles incestueuses ou alcooliques, qui ont appris qu'il fallait d'abord faire plaisir aux autres pour se faire accepter.

Les adolescents ne pensent pas nécessairement aux conséquences de la relation sexuelle que sont la grossesse et les maladies; leur confiance en eux est tellement forte qu'ils croient que les grossesses, les MTS ou le sida, « c'est pour les autres ».

La *consommation d'alcool ou de drogues* fait partie de l'expérimentation inévitable des adolescents. Mais une consommation régulière et excessive d'alcool ou de drogues est souvent un symptôme de dépression.

La drogue d'aujourd'hui est plus forte qu'il y a quinze ans : la marijuana est dix fois plus puissante; la cocaïne, cinquante fois; et le crack inhalé équivaut à quatre-vingt-dix pour cent de la cocaïne pure. Le jeune essaie de soigner lui-même sa dépression par des substances auxquelles il a facilement accès.

Or, il est prouvé que l'abus de drogues et d'alcool modifie certains transferts neuro-hormonaux du cerveau et amplifie le mécanisme de la dépression. Ces habitudes néfastes ne sont pas la cause directe du problème, mais elles ont pour effet d'accentuer le cercle vicieux de la dépression, d'aggraver les symptômes et la profondeur de la maladie, ce qui augmente inévitablement le risque de suicide.

Selon D^re Louise Charbonneau, lorsque rien ne va plus (manque d'intérêt, échecs scolaires, renvoi de l'école et problèmes familiaux), certains adolescents opteront pour le décrochage complet et la vie en marge de la société : ils deviendront des jeunes de la rue. L'attrait pour la vie dans la rue tient à la liberté totale et à l'absence de contraintes que ces jeunes croient y trouver : pas d'école, pas de famille et pas d'horaire à respecter.

Mais la consommation de drogues est très répandue dans la rue; on estime que plus de soixante-quinze pour cent des jeunes s'y adonnent et que douze pour cent font usage de drogues injectables, dont l'héroïne.

Pour se payer de la drogue et survivre dans la rue, les adolescents se tourneront souvent vers la prostitution.

Le risque de mort violente, de surdose ou de suicide est particulièrement élevé dans ces conditions. Et les troubles mentaux tels que la dépression, les troubles de conduite et l'état de stress post-traumatique y sont trois fois plus élevés que dans l'ensemble de la population.

On note que de trente à cinquante pour cent de ces jeunes ont fait une tentative de suicide ou ont envisagé de le faire; ce sont surtout les filles engagées dans la prostitution qui ont manifesté cette tendance et qui, en général, expriment le plus de désarroi et de solitude (voir le tableau La Dépression au centre de l'acte suicidaire, page suivante).

Dans ce tableau, vous remarquerez que je situe la dépression au centre des problèmes des adolescents, car les études démontrent de plus en plus que les jeunes qui se suicident le font dans un état dépressif. L'enfant qui arrive à l'adolescence (flèche 1) doit posséder des mécanismes de défense appropriés pour faire face aux nombreux bouleversements, tant physiques que psychologiques, associés à cette période de la vie; c'est ce que nous avons appelé plus tôt le système de défense psychologique.

Les adolescents peuvent avoir une fragilité biologique; regroupement de certaines situations médicales à caractère génétique provenant des parents, ce qui augmente le risque de la dépression (flèche 2).

La dépression au centre de l'acte suicidaire

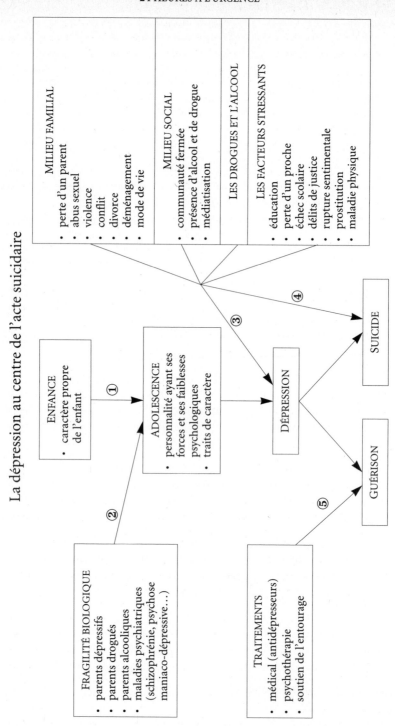

Vous remarquerez aussi que certains facteurs de risque — un milieu familial inadéquat, le milieu social, les drogues, l'alcool et les facteurs de stress déclenchants — peuvent amener n'importe quel adolescent à la dépression et peuvent aussi pousser un adolescent déjà dépressif à se suicider (flèches 3 et 4).

Si la dépression est diagnostiquée à temps et que le jeune est pris en charge et traité adéquatement, il guérira (flèche 5).

Par contre, notre incompréhension du phénomène fait que, trop souvent, nous nous attardons seulement aux facteurs de risque ou aux facteurs déclenchants, ce qui nous amène à faire des interventions ponctuelles, qui ne règlent pas les problèmes à long terme.

Les facteurs de risque liés à la dépression chez les adolescents sont :
— **la fragilité biologique,**
— **un milieu familial inadéquat,**
— **un milieu social inadéquat,**
— **les drogues et l'alcool,**
— **les facteurs de stress.**

Afin de mieux cerner les facteurs qui peuvent augmenter le risque de la dépression et du suicide, les chercheurs font des autopsies psychologiques des cas de suicide, c'est-à-dire qu'ils regroupent tous les paramètres qui peuvent être associés au suicide; ils tentent de reconstituer les pensées, les sentiments, les comportements et le style de vie des suicidés. Ainsi, ils recueillent une foule de données — les antécédents personnels et familiaux, le contexte social, les ruptures, les facteurs de stress, la prise de drogue ou d'alcool — et parviennent de cette façon à regrouper les facteurs qui sont le plus souvent associés à la dépression.

Des études américaines et canadiennes ont établi qu'il y a une multitude de facteurs associés à la dépression; on peut classer ces facteurs en cinq groupes : la fragilité biologique, le milieu familial, le milieu social, l'alcool et les drogues, et les facteurs de stress déclenchants.

Il serait trop facile de déclarer que l'un ou l'autre de ces facteurs a un rôle prédominant dans la dépression; la famille éclatée, le stress, le marché du travail peu ouvert, tout cela peut avoir de l'importance, mais ce sont là des éléments qui touchent tout le monde. La question fondamentale est de savoir comment ces facteurs peuvent influencer un individu particulier — qui a son tempérament propre, ses faiblesses, sa fragilité et ses forces — et le faire basculer vers la dépression et le suicide.

Comme dans beaucoup de maladies, chaque patient dépressif est un cas unique en soi; les causes de la maladie, et par le fait même le diagnostic, l'intervention et le traitement, sont liés à des paramètres biologiques, psychologiques et sociaux.

Comme le dit D^re Garel : « Nous sommes toujours ramenés à l'individu, il ne faut surtout pas essayer de tout ramener à une espèce de causalité linéaire et simpliste. Lorsqu'on évalue les causes menant à la dépression et aux suicides, il faut envisager la situation de façon globale, ne pas s'imaginer qu'en changeant ceci ou cela tout va rentrer dans l'ordre comme par enchantement[*]. »

La fragilité biologique

Les adolescents venant de familles où l'on trouve un ou des parents atteints de maladies psychiatriques comme la schizophrénie, la psychose maniacodépressive ou la dépression, ou qui abusent de drogues ou d'alcool, présenteront plus de risques de poser des actes suicidaires, car la dépression est en partie héréditaire.

On pense qu'environ cinq pour cent des enfants souffriront de dépression à un moment ou un autre de leur adolescence.

On sait que, si l'un des parents a déjà souffert de dépression, le risque de dépression chez l'adolescent augmente à vingt-cinq pour cent; Michel faisait partie de ces enfants à risque parce que sa mère s'était enlevé la vie.

---

[*]   Revue *RND*, 1995 : « La dépression chez l'adolescent ».

Si les deux parents ont été atteints par la dépression, le risque pour l'enfant augmente à cinquante pour cent.

Les jeunes atteints de maladies psychiatriques comme la schizophrénie présentent de très grands risques de suicide : cinquante pour cent tenteront à un moment ou à un autre de mettre fin à leurs jours. On estime le risque de suicide entre cinq et quinze pour cent.

Comme je l'ai mentionné un peu plus tôt, l'augmentation récente du taux de suicide peut s'expliquer en partie par la présence de ces jeunes malades psychiatriques. En effet, dans les années soixante, beaucoup de jeunes schizophrènes ou de jeunes atteints d'autres maladies psychiatriques étaient placés dans de grands hôpitaux comme Saint-Jean-de-Dieu, à Montréal, ou Robert-Giffard (qui s'appelait Saint-Michel-Archange, à l'époque), à Québec; plus de 7 000 malades y étaient gardés sous étroite surveillance.

Aujourd'hui, par une volonté politique de réinsertion sociale, beaucoup sont laissés à eux-mêmes et ont accès à la drogue et à l'alcool, ce qui augmente inévitablement le risque de suicide.

Soulignons qu'un enfant qui est fragile sur le plan biologique mais qui vit dans un contexte qui l'encadre et le soutient peut connaître de grandes réussites et ne jamais faire de dépression. Par contre, l'inverse est aussi vrai.

Un milieu familial et un milieu social inadéquats

Des études ont signalé le fait que les adolescents qui se suicident ont souvent vécu, dans les douze mois précédant leur acte, soit le décès d'un parent, d'un grand-parent ou d'un autre membre de la famille, soit un conflit avec un parent (expulsion de la maison, geste agressif ou violent). Le risque de suicide augmente si les adolescents ont déjà été victimes d'abus sexuels et si leurs parents ont des démêlés avec la justice. Les problèmes financiers liés à la perte d'un emploi et le chômage, l'éclatement de la famille et le déménagement peuvent aussi augmenter le risque de suicide.

Dans la grande majorité des cas, les jeunes suicidés venaient de familles qui semblaient tout à fait normales, et quinze pour cent d'entre eux venaient de familles mono-parentales.

Émile Durkheim, sociologue du XIXᵉ siècle, avait constaté que le taux de suicide était plus bas dans les sociétés unies et possédant un sens moral élevé ainsi que des idéaux collectifs, et plus élevé dans les sociétés chaotiques, dont les valeurs étaient moins fortes et les règles de conduite désordonnées. Les sociétés où règne le désordre favorisent ce que Durkheim appelle l'anomie : les gens n'ayant pas l'impression d'avoir une place dans leur communauté propre, ils développent l'attitude du « chacun pour soi ».

Au cours des trente dernières années, le taux de suicide chez les jeunes Québécois a grimpé pour devenir l'un des plus élevés du monde; or, on ne peut attribuer cette hausse directement aux facteurs économiques de la récession, du chômage et de la pauvreté car, durant cette période, malgré quelques épisodes gris de récession et d'inflation, le Québec a généralement connu une prospérité économique. Certains sociologues, comme madame Francine Gratton, pensent que c'est la conception globale du Québec moderne, avec ses composantes socioculturelles propres, qui aurait engendré les conditions favorables au suicide.

En effet, en 1960, le Québec a commencé à remettre en question ses structures et ses valeurs traditionnelles.

À partir de ce moment, le Québec effectue une remise en cause profonde et très rapide de son mode d'organisation et de ses valeurs, notamment dans les domaines de la religion, de l'enseignement et de la famille. Ainsi, l'Église perd sa mainmise sur les institutions de services sociaux, de santé et d'éducation; qui plus est, la population remet en question sa propre spiritualité et délaisse la pratique religieuse, qui avait un effet rassembleur sur les gens.

Tout le système d'éducation est chambardé, et on crée les polyvalentes; dans ces énormes écoles impersonnelles s'entassent des milliers d'élèves qui ont entre douze et dix-huit ans et un potentiel d'apprentissage très variable. Les professeurs enseignent à différents groupes d'élèves tout au long de la journée, et ces groupes comptent souvent plus de trente-cinq individus. Ce système ne permet nullement au professeur de créer des liens avec les élèves, et encore moins de déceler celui ou celle qui présente des symptômes de dépression.

Il me semble qu'il serait grandement temps de changer ce système, de l'humaniser un peu. Déjà, la création de deux types d'écoles secondaires, où l'on séparerait les jeunes des plus vieux, aiderait beaucoup à rapprocher les élèves les uns des autres et à les rapprocher de leurs professeurs.

La famille aussi a subi de sérieuses transformations, qui ont sans doute eu d'importantes répercussions sur l'augmentation du taux de suicide.

Le divorce crée un stress sur les enfants, c'est reconnu. Souvent, les parents refont leur vie avec un autre conjoint et ils ont d'autres enfants, ce qui provoque des situations parfois troublantes pour les premiers enfants, surtout s'ils sont près de l'adolescence. N'oublions pas que ces passages d'un conjoint à l'autre, d'une famille à l'autre ne sont pas désirés par les enfants; en fin de compte, les enfants subissent les conséquences des choix des adultes.

Certains week-ends, à l'urgence, il m'arrive d'avoir beaucoup de mal à démêler la situation: les papas qui ont la garde de fin de semaine viennent avec leurs enfants malades, souvent accompagnés de leur nouvelle copine, qui n'est pas la mère des enfants présents mais qui a ses propres enfants. Un jour, par exemple, j'ai devant moi un père dans la trentaine avancée; sa copine, qui a une dizaine d'années de moins; trois enfants âgés d'environ deux, quatre et cinq ans; et une adolescente de treize ans qui semble s'emmerder à mourir: appuyée au mur, bras croisés, elle mâche sa gomme d'un air blasé.

Le plus petit, qui est l'enfant de la jeune mère, fait de la fièvre; les deux autres sont là pour qu'on les examine à titre préventif. L'homme est le père des quatre enfants, mais ceux-ci sont de trois mères différentes; les mères ont la garde des enfants la semaine, et le père les prend une fin de semaine sur deux. L'adolescente vivait avec sa mère jusqu'à tout récemment mais, à la suite d'une dispute, sa mère lui a suggéré d'aller vivre chez son père afin d'apprendre à mieux le connaître. Si je me fie à mon impression, ce séjour chez son père ne durera pas longtemps.

Je commence à poser les questions habituelles :

— Est-ce que les enfants ont été vaccinés?

— Je ne sais pas, répond le père.

— Le mien, oui; les autres, probablement, ajoute la copine.

— Ont-ils pris des médicaments récemment?

— Je ne sais pas, dit le père.

— Je ne crois pas, fait la copine.

La petite fille de cinq ans répond alors :

— Oui, j'ai pris du sirop aux bananes... C'était bon.

Je demande à la fillette :

— Pourquoi as-tu pris du sirop aux bananes?

— Parce que le docteur me l'a donné.

— Et le docteur, il te l'a donné parce que tu avais mal à la gorge?

— Oui, oui, j'avais mal à la gorge et aux oreilles, et le docteur a dit qu'on irait chez McDo si on buvait tout le sirop aux bananes.

Tout en auscultant son ventre et ses poumons, je dis en souriant :

— Est-ce que c'est possible que ce que tu préfères, chez McDonald's, ce sont les pépites de poulet avec la sauce au miel?

La petite sourit et demande :

— Comment ça se fait que tu sais que c'est les pépites que je préfère?

Je lui réponds :

— C'est bien facile : les enfants gentils préfèrent les pépites.

Ainsi, grâce à l'intervention de la fillette, j'ai pu diagnostiquer une infection à streptocoque dans la gorge du petit frère et lui prescrire aussi du sirop aux bananes. En résumé, donc : quatre enfants, trois mères différentes, et un père qui ne sait rien de ses enfants !…

Les conséquences de la famille éclatée sont nombreuses, la principale étant que les parents ne connaissent plus aussi bien leurs enfants ; les pères en ont la garde une fin de semaine sur deux, et les mères doivent souvent retourner sur le marché du travail pour boucler les fins de mois, ce qui fait que les enfants sont placés très jeunes en garderie.

La vie familiale a donc été transformée par ce retour des femmes sur le marché du travail. Leur revenu favorise l'accès à toutes sortes de biens matériels, ce qui provoque de nouvelles dépenses et un endettement supplémentaire, qui créent du stress et des tensions dans la famille.

Aujourd'hui, tout le monde court contre la montre ; le matin, il faut préparer les collations et les repas du midi pour les enfants, puis courir à la garderie, mais pas trop tôt, car elle n'ouvre ses portes qu'à sept heures (le soir, il faudra courir pour venir y reprendre les enfants, car on nous impose une amende pour les retards) ; il faut ensuite courir au travail, courir au supermarché, courir au garage pour la deuxième auto, faire le ménage, le lavage, tondre le gazon, pelleter le perron, penser aux vacances, cette année ce sera Cuba, la République dominicaine ou le Mexique, on ira en couple, grand-maman gardera les enfants, car on n'a pas les moyens de les amener en vacances avec nous, et d'ailleurs on est tellement fatigués, non, on n'est pas fatigués, on est épuisés. C'est ça, la vie de famille, pour beaucoup de couples.

On connaît de moins en moins les enfants, on remplace la véritable affection et le temps passé avec eux par des biens matériels ou on augmente la permissivité dans l'éducation.

Selon le père Emmett Jones, couramment appelé « Pops », qui aide les jeunes de la rue de Montréal depuis des années,

« Aujourd'hui, les parents ne donnent plus la priorité aux enfants, et ce n'est pas juste une question monétaire, car il y a beaucoup de jeunes fugueurs qui proviennent de milieux aisés comme Outremont, Westmount et Mont-Royal. La priorité n'est plus accordée aux enfants. »

On fait de moins en moins d'activités en famille, on ne prend plus le temps de manger ensemble. Autrefois, c'était au repas de famille que l'on discutait, que l'on s'encourageait, qu'on réglait ses problèmes et qu'on se chicanait parfois; ainsi apprenait-on à se connaître mutuellement, à subir des frustrations et à reconnaître la tristesse dans les yeux des autres; parfois, même, on découvrait là le premier signe de la dépression et on en faisait rapidement part aux autres membres de la famille.

Aujourd'hui, il en va tout autrement : le repas dominical en famille est devenu exceptionnel, les parents travaillent souvent les week-ends ou s'adonnent de plus en plus à des sports individuels, tel le golf.

Les adolescents, quand ils ne naviguent pas dans Internet, travaillent dans les Provigo, Wal-Mart, Canadian Tire et tous les dépanneurs de ce monde. Il faudra peut-être un jour nous demander si nous avons réellement besoin de tous ces services le dimanche. Est-il absolument nécessaire de se procurer un slip ou un tournevis à onze heures le dimanche matin?

Ce rythme de vie mène à l'isolement des membres de la famille, à la solitude de chacun. J'ai une anecdote à ce sujet. Il n'y a pas très longtemps, je me trouvais dans l'allée des céréales au supermarché lorsque mon attention fut attirée par une boîte sur laquelle on pouvait lire : « Gagnez la chambre de rêve pour votre adolescent, d'une valeur de 10 000 $. » Je retournai la boîte, où on décrivait la chambre de rêve en question : premièrement, une solide serrure pour que les intrus et les parents n'y pénètrent pas; ensuite, un système de cinéma maison et une chaîne stéréo dernier cri avec trois paires d'écouteurs, un ordinateur et un abonnement d'un an à Internet, un téléphone avec ligne privée, un micro-ondes et un mini-réfrigérateur. Autrement dit, tout ce qu'il faut pour demeurer parfaitement autonome et isolé du reste de la famille et du monde. C'est ça, la chambre de rêve des adolescents en 1999? Étrange concours, n'est-ce pas? Et qui donne à réfléchir sur l'isolement et les valeurs de la famille moderne.

Il y a peut-être lieu de se poser certaines questions « existentielles » très simples. Par exemple : « Mais où sont donc passés les poulets, les rôtis de bœuf, les patates pilées et les coudes qui se touchent autour de la table du dimanche soir? »

Le fait de ne pas se retrouver souvent en famille peut sembler sans importance à première vue. Pourtant, la vie de famille permet d'abord de mieux se connaître. Et puis elle favorise les échanges, les joies, les bonheurs mais aussi les contradictions, les disputes et les frustrations, qui sont fréquentes en son sein. Les familles étant de plus en plus petites, on remarque que bien peu d'adolescents acceptent la contradiction et la frustration; il semble qu'ils aient de plus en plus de difficulté à vivre les premières peines d'amour, un échec scolaire ou un conflit avec un parent. Nous avons pour la plupart survécu à nos premières peines d'amour, à une engueulade avec notre père ou à un échec scolaire; nous n'avions généralement pas l'idée de nous suicider parce qu'une fille ou un garçon ne voulait plus de nous.

Est-il possible que certains jeunes d'aujourd'hui n'aient pas la capacité de faire face aux frustrations, qu'ils soient moins bien équipés pour affronter les difficultés de la vie? Parce que les parents ont été moins présents, parce que les familles sont plus petites, l'enfant roi — à qui on a laissé une plus grande liberté, envers qui on a fait preuve de plus de souplesse et de permissivité — devient à l'adolescence complètement désarçonné lorsqu'il doit faire face à une frustration ou à un échec.

J'ajouterais ceci, au sujet des ordinateurs : le cerveau est un organe extraordinaire, possédant plus de cent milliards de neurones qui communiquent entre eux. Cet organe se développe pendant environ un an après la naissance, et il a des possibilités infinies sur les plans de l'adaptation, de la création et de la perception. De nos jours, trop de personnes croient que les enfants doivent être mis très jeunes en contact avec les ordinateurs. Il est vrai que les enfants aiment les ordinateurs et qu'ils s'y adaptent très vite. L'ordinateur présente aussi l'avantage de laisser du temps libre aux parents. Cependant, à mon avis, il ne favorise guère la créativité chez l'enfant ; le cerveau de l'enfant a des possibilités qui sont des millions de fois supérieures à celles des meilleurs ordinateurs sur le marché, alors pourquoi limiter le développement du cerveau de son enfant à ce que peut offrir un ordinateur ?

Dans un dessin fait à la main par un enfant, il y a de la créativité provenant de ses propres fantasmes, de la dextérité manuelle, un choix et un agencement de couleurs qui correspondent aux désirs de l'enfant mais qui ne s'effacent pas simplement en appuyant sur une touche, car la couleur adhère au papier, et l'enfant doit alors composer avec son choix et en tenir compte dans l'ensemble de son œuvre. Quand j'étais petit, mon jouet préféré était un jeu de construction Lego : je passais des heures à monter des structures pour déjouer les forces de la gravité ! Quand je regarde les jeunes d'aujourd'hui s'amuser au Nintendo ou jouer à la guerre sur l'ordinateur, et que les parents semblent en être fiers, moi, je trouve cela triste.

Il y a quelques années, alors que j'étais en croisière sur mon voilier avec ma famille, j'ai rencontré une autre famille, qui avait un ordinateur et un jeu Nintendo à bord de son voilier. Après m'avoir expliqué fièrement comment il avait réussi à faire ses branchements électriques, le père conclut en disant : « Tu sais, de nos jours, les enfants ont besoin d'un

Nintendo pour être heureux. » C'était un après-midi de juillet, le soleil était radieux; pendant que j'amenais les enfants explorer l'île du pirate Maboul à la recherche d'un trésor perdu, les parents sur le pont de l'autre voilier buvaient de la bière, et leurs enfants jouaient au Nintendo à l'intérieur de la cabine!

Et puis Internet! C'est un mode de communication fantastique, selon certains adeptes qui passent des heures à y naviguer. Dernièrement, les journaux faisaient état de plus de 20 000 sites sur le suicide; un site japonais nommé « docteur Kiriko » donnait même des recettes pour bien réussir son suicide et vendait par courrier électronique des pilules de cyanure. En outre, l'Unesco dénonçait le fait qu'il existe plus de 500 000 sites de pédophilie sur Internet! Bref, il faudra rapidement trouver des solutions pour contrôler la qualité de l'information qui circule sur l'inforoute.

Je ne nie pas que les familles soient à bout de souffle. Il faudrait, collectivement, repenser tout notre rythme de vie afin d'être un peu plus à la maison avec les enfants. Accepter de travailler trois ou quatre jours par semaine seulement, de voir ses revenus et ses avantages sociaux amputés un peu, afin de vivre le moment présent, qui passe si vite et ne revient plus.

Aujourd'hui, beaucoup de gens vivent pour leur retraite. On commence tôt à acheter sa retraite par petits morceaux de REER, parce que la publicité nous fait croire que la vie commence sur une plage à cinquante-cinq ans. Mais, croyez-moi, la vie est très fragile, et il vaut mieux en profiter chaque jour. En travaillant moins, on dépenserait un peu moins pour les beaux vêtements, les deuxièmes autos, les restaurants et les frais de gardiennage; au bout du compte, on aurait autant d'argent dans nos poches. De plus, les gens seraient plus performants au travail, et cela créerait de l'emploi, ce qui n'est pas négligeable pour la communauté.

Et pourquoi prendre sa retraite plus tôt? Ce n'est pas une solution pour la société, car on se prive automatiquement de l'expérience de nos prédécesseurs. Il serait bien plus logique de trouver un équilibre à long terme pour notre vie et celle de nos enfants.

L'archevêque du diocèse de Montréal, Jean-Claude Turcotte, en a long à dire au sujet du suicide chez les jeunes, qu'il présente clairement comme un problème de société auquel il attribue une multitude de causes. « Les jeunes d'aujourd'hui ont peu d'expériences sociales fortes », dit-il. Au petit nombre d'enfants par famille, à l'absence fréquente des parents et au gigantisme des écoles s'ajoute le peu de préparation des nouvelles générations aux difficultés considérables de la vie moderne. « La vie est une véritable bataille aujourd'hui. » Jugeant que la jeunesse a besoin d'adultes expérimentés et responsables, Mgr Turcotte réprouve l'attitude de complaisance de nombre de personnes: « Combien essaient seulement de copier les jeunes et d'être leurs amis! » J'abonde dans le même sens que le prélat à ce sujet. J'écoutais un jour une émission très populaire à la radio; l'animateur y racontait la nuit qu'il avait passée avec des jeunes dans la rue et expliquait à quel point il était rémunérateur de laver des pare-brise d'autos aux feux rouges: « Vous pouvez faire 20 $ de l'heure et vous ne payez pas d'impôt! » disait-il sur les ondes. C'était choquant à entendre. De même que ces reportages où les jeunes vociferent leur révolte contre les parents, l'école, les policiers et la société en général; je ne dis pas qu'il ne faut pas écouter ces jeunes, bien au contraire, mais je ne crois pas qu'il y ait lieu de rendre publics et de louanger leurs gestes et leurs attitudes.

Il me semble que ces animateurs qui se disent à la mode, à l'écoute des jeunes et préoccupés par leurs problèmes ne font souvent que rechercher de nouveaux auditeurs. Par leur attitude «cool», ils se font de la publicité, mais cela ne règle en rien les problèmes des jeunes.

Les communautés isolées, où la consommation d'alcool et de drogues est importante, sont des milieux propices à l'augmentation du taux de suicide. C'est souvent le cas dans les régions éloignées ou dans certaines communautés autochtones. Celles qui ont le taux de suicide le plus bas sont celles où il y a le moins d'alcoolisme, de chômage, de troubles familiaux et qui ont maintenu les valeurs culturelles de leurs traditions.

Fait surprenant, dans la plupart des études, l'appartenance à l'une ou l'autre des classes socio-économiques n'apparaît pas comme un facteur réellement déterminant par rapport au taux de suicide.

On note que la médiatisation des suicides peut favoriser l'augmentation du taux de suicide. Un adolescent dépressif et perturbé sur le plan émotif aura tendance à imiter les suicidés. Après le suicide de Kurt Cobain, du groupe Nirvana, de nombreux adolescents suivirent l'exemple du chanteur.

Tant et aussi longtemps que des structures adéquates ne seront pas mises en place pour faire face à cette situation alarmante, il faudrait s'efforcer de garder ces drames un peu plus secrets.

Les drogues et l'alcool

Les drogues et l'alcool sont de puissants dépresseurs du système nerveux central; ils augmentent donc les risques de dépression chez un adolescent normal qui vit des difficultés et ils aggravent la dépression chez un adolescent déjà déprimé.

Cependant, la drogue et l'alcool ne sont pas des causes directes de suicide. Nous savons tous qu'un adulte alcoolique dissimule un adulte déprimé; il en est de même chez les adolescents qui consomment régulièrement des drogues. Une telle situation devrait servir de signal d'alarme.

Il est trop facile d'accuser la drogue et l'alcool; bien sûr, cela simplifie énormément nos tentatives de compréhension du suicide et nous enlève toute forme de culpabilité. On se déculpabilise en disant : « Le jeune Patrick s'est suicidé à cause de la drogue. » Et puis il est rassurant de trouver une cause et de la combattre à coups de millions de dollars.

Seulement, cela n'explique pas le suicide récent de jeunes Amérindiens du Labrador, qui vivaient dans une communauté où il n'y avait pas de drogue. Ces jeunes se sont pourtant enlevé la vie, en inhalant des vapeurs de pétrole. Si un jour il n'y a plus de drogues ni d'alcool, allons-nous devoir interdire le pétrole? C'est simpliste comme raisonnement, me direz-vous. Mais sachez qu'un grand nombre de parents, de professeurs, de politiciens, de policiers, de directeurs d'école et, bien sûr, de médecins accusent uniquement la drogue et l'alcool, en oubliant complètement la complexité de la dépression. Une grande part de nos impôts ne sert pourtant qu'à combattre le facteur déclenchant que sont la drogue et l'alcool.

Les facteurs positifs et la guérison

Comme pour toute autre maladie, le premier pas vers la guérison de la dépression consiste à établir le bon diagnostic.

Cependant, comme nous l'avons vu plus tôt, il n'est pas évident d'établir un diagnostic de dépression chez un adolescent; le médecin doit avoir recours à des techniques d'évaluation et faire des examens physiques et biochimiques (prélèvement sanguin) qui permettront parfois de trouver une maladie secondaire — comme le diabète, l'hypothyroïdie, la mononucléose — ou de découvrir des carences alimentaires, comme dans les cas d'anorexie.

Le traitement de la dépression peut inclure des médicaments antidépresseurs; cependant, aucune étude contrôlée n'a permis jusqu'à maintenant de confirmer leur efficacité chez les adolescents. De nouveaux médicaments semblent toutefois très prometteurs.

Les méthodes psychologiques englobent toute une panoplie de psychothérapies. La thérapie behavioriste semble toutefois avoir la faveur à cet âge, car elle fait appel au «conditionnement opérant»: on demande à l'adolescent d'effectuer certaines tâches, en dehors des rencontres avec le psychologue, et d'en remarquer les effets. Ainsi, on lui suggérera de faire du ménage ou du sport lorsqu'il se sent déprimé; en dépensant de l'énergie, il chassera le cafard et le ralentissement psychomoteur lié à la dépression. Inversement, on lui conseillera de lire un livre, de regarder un film drôle ou d'écouter de la musique vive et entraînante chaque fois qu'il se sent moins déprimé.

On peut aussi recommander à l'adolescent de tenir un journal, de dresser une liste de choses qui lui posent des problèmes ou d'analyser ses idées en période de stress. Le thérapeute doit le pousser à avoir une vie équilibrée, une saine alimentation, des périodes de sommeil d'au moins huit heures; il doit lui recommander de fréquenter des personnes positives et d'éviter les personnes et les situations négatives.

Dans certains cas, il faut corriger la dynamique familiale, lorsqu'elle contribue à perturber l'adolescent. Certaines familles acceptent de participer, alors que d'autres se montrent réfractaires.

La famille attentionnée doit essayer de comprendre le jeune, l'encourager à parler et lui trouver des activités agréables. Il est souhaitable que les parents évitent les barrières à la communication qui consistent à dire sans cesse «dans mon temps», à afficher une attitude critique, à donner des surnoms négatifs, à diminuer l'adolescent, à utiliser le sarcasme, à avoir réponse à tout, à pratiquer la lutte de pouvoir, à donner des recettes, à faire la leçon… Les obstacles à la communication sont légion: sermonner, se retrancher dans le mutisme, espionner, envoyer des messages doubles, employer un ton de voix qui contredit le message…

Quand la dépression menace, il faut agir aussi rapidement que possible. L'adolescent doit apprendre à reconnaître en lui la présence d'un état d'âme inhabituel, qui peut avoir des conséquences graves. En dépit parfois de l'opposition de ses proches, le jeune doit consulter un médecin, un psychiatre ou un conseiller jusqu'à ce qu'il trouve quelqu'un qui veuille bien l'écouter et agir. Il doit changer en lui ce qui provoque la dépression, il doit voir la vie sous un jour réaliste, sans rechercher l'impossible perfection. Il doit être capable d'exprimer sa colère de façon normale. On dit, non sans raison, que la dépression est un acte dirigé.

Dans la société actuelle, si les jeunes ont plus de droits que leurs aînés n'en ont eu, ils ont aussi plus de responsabilités, dont celle de se prendre davantage en main, de comprendre que, dès que la dépression menace, ils doivent agir rapidement. La société a le devoir d'offrir des ressources, tant ponctuelles qu'à long terme, afin que ces jeunes et leurs familles trouvent des solutions durables à la dépression.

Dans certains cas, on ne peut pas compter sur les adultes pour aider leur adolescent en difficulté; plusieurs parents ont toujours été inadéquats, sont inadéquats et resteront inadéquats. Mais la société pourrait alors intervenir, par le biais des écoles et des services de santé publics.

Les écoles me semblent particulièrement bien placées pour établir des programmes de dépistage et d'intervention de première ligne.

Il faudrait cependant apporter quelques changements dans les écoles, comme je le disais plus tôt.

Il faudrait revaloriser les sports de groupe qui ne sont pas axés sur la performance et la compétition, mais plutôt sur le plaisir. Pourtant, dans les faits, on retire de plus en plus les sports des activités régulières des élèves, et ceux qui restent sont souvent axés sur la compétition. Ma sœur Line, professeure dans une polyvalente, me disait qu'au cours d'une journée de mise en forme seulement quinze pour cent des mille élèves avaient réussi à courir un kilomètre sans s'arrêter! Les quatre-vingt-cinq pour cent restants étaient à bout de souffle. Il est inquiétant de constater à quel point un grand nombre de jeunes ne sont pas en bonne forme physique.

Il faudrait aussi valoriser une saine alimentation. Un jour où je visitais une polyvalente, je constatai que le menu du jour était composé de «hot dog, poutine et beigne». Lorsque je demandai à la caissière pourquoi la cafétéria n'offrait pas un menu plus équilibré aux jeunes, elle me répondit sèchement: «C'est ce qu'ils aiment, alors c'est ce qu'on sert.» Je me dis alors: «Il y a du chemin à faire, on se croirait à l'hôpital...»

L'école pourrait avoir un programme de prévention du suicide, dirigé par une équipe de professionnels, qui expliquerait aux jeunes et aux professeurs quels sont les symptômes de la dépression et les critères de gravité. Cette équipe devrait disposer de ressources sur place afin d'intervenir rapidement et travailler en lien avec les intervenants médicaux de la région.

La création de programmes pour les jeunes, qui permettraient d'intervenir en situation de crise, serait grandement souhaitable. Certains programmes se sont avérés très utiles dans le passé, tel le programme Katimavik, qui consistait à envoyer des jeunes partout au Canada accomplir des tâches communautaires, par exemple repeindre des phares et des quais dans le bas du fleuve ou reboiser des forêts en Abitibi; ces groupes étaient encadrés par des travailleurs sociaux, et l'on y apprenait en grande partie à retrouver l'estime de soi, ce qui est un excellent point de départ.

Pendant la crise du verglas, un ami policier de Saint-Hilaire me raconta qu'il avait vu de jeunes délinquants transformés parce qu'on leur avait demandé de recevoir, de diriger et d'aider la population sinistrée qui était évacuée à la polyvalente. La Sûreté municipale avait eu l'heureuse initiative de bien encadrer ces jeunes et de leur fournir un écusson sur lequel était écrit leur nom. Au dire de ce policier,

« pour la première fois de leur vie, ces jeunes se faisaient appeler monsieur ou madame; ils se sentaient utiles à la société, on ne les traitait pas comme des déchets ou des fardeaux ». Pendant les trois semaines qu'a duré la crise, la ville de Saint-Hilaire n'a jamais eu un taux de criminalité aussi bas. Des programmes semblables pourraient permettre à des jeunes d'aller dans d'autres pays pour aider les populations dans le besoin. Je suis certain que de tels programmes auraient des effets bénéfiques.

Une chose est sûre : pour arriver à prévenir le suicide chez les jeunes, il faut une volonté d'agir de la part de tous les intervenants, et surtout des politiciens qui disent avoir à cœur les problèmes des jeunes.

Dans un récent rapport, le ministre de la Santé du Québec considérait la piste de la dépression comme une hypothèse parmi tant d'autres, à laquelle il n'avait pas l'intention de consacrer de crédits supplémentaires ou particuliers. Il reste donc beaucoup de chemin à parcourir.

Comme le dit un proverbe chinois : *Vous ne pouvez pas empêcher les oiseaux de la tristesse de voler au-dessus de vos têtes, mais vous pouvez les empêcher de tisser un nid dans vos cheveux.*

QUAND CONSULTER ?

La dépression chez les adolescents est complexe, et le diagnostic est ardu à poser, car de grands changements physiologiques et émotionnels se produisent à cet âge. Il faut souvent plusieurs consultations avant d'infirmer ou de confirmer un diagnostic de dépression. Je dresse ici une liste des principaux symptômes et facteurs de risque associés au suicide chez les adolescents. Je l'ai conçue pour qu'elle serve de guide aux parents et aux proches d'adolescents en difficulté; il faut bien sûr analyser ces facteurs et les examiner avec circonspection avant d'apposer l'étiquette de dépressif à un adolescent.

Les symptômes à surveiller
— La tristesse qui perdure à la suite d'un échec, amoureux ou autre; il faut être particulièrement vigilant si la période de morosité chez l'adolescent est suivie d'une période d'exaltation et d'euphorie, car cela peut être un signe que le jeune a décidé de passer à l'acte suicidaire.
— Les changements dans le cycle du sommeil: insomnie ou hypersomnie.
— Les problèmes dans l'alimentation: anorexie ou boulimie.
— Les changements de l'humeur: perte de contrôle de ses pulsions agressives, irritabilité.
— Les fugues et les actes de délinquance.
— Le comportement asocial: l'adolescent se referme sur lui-même, s'isole, perd ses amis.

Les signes de gravité
— L'adolescent, par écrit ou oralement, fait part de sa décision de s'enlever la vie: plus de la moitié des jeunes qui se suicident ont informé quelqu'un de leurs intentions dans les jours ou les semaines qui ont précédé le geste.
— La consommation de drogues et d'alcool: il faut porter attention à ces puissants facteurs dépressifs du système nerveux central. Une personne sous l'effet de la drogue ou de l'alcool, dont le jugement et la perception sont altérés par l'intoxication, peut commettre un acte plus ou moins accidentel (prendre trop de barbituriques ou des doses trop élevées de drogues, par exemple) et en mourir.

Sous l'effet de la drogue, l'adolescent souffrant d'un trouble de caractère agressif-impulsif, qui aime «jouer avec la mort», peut être poussé à aller plus loin et s'enlever la vie accidentellement, avec une arme à feu par exemple, sans qu'il y ait pour autant de véritable intention suicidaire.

— Les délits suivis de problèmes avec la justice: vols, agressions, arrestation...

— La perte d'un parent ou d'un ami: un décès dans la famille, la mort d'un ami ou d'un proche, ou encore l'anniversaire du décès d'un proche sont des moments où la vigilance s'impose.

— Le décrochage, l'échec scolaire et la fugue sont des éléments à surveiller.

— Les conflits familiaux et autres problèmes de familles pathologiques (parents alcooliques, drogués, dénaturés); de trente à cinquante pour cent des jeunes qui ont quitté le domicile familial pour ce genre de raisons et qui vivent dans la rue ont pensé à se suicider ou ont fait une tentative de suicide.

— Les adolescents ayant déjà une maladie psychiatrique telle que la schizophrénie présentent des risques élevés de suicide; environ dix pour cent des schizophrènes s'enlèvent la vie.

N'ayez surtout pas peur de consulter un médecin

Si l'adolescent souffre de symptômes de dépression qui perdurent et présente des facteurs de risque par rapport au suicide, il est indiqué de consulter un médecin au CLSC, à son bureau, ou même au service des urgences. Souvent, je dis aux familles ou aux malades qui se présentent à l'urgence pour des problèmes mineurs ou pour lesquels le diagnostic reste imprécis, même après une évaluation, de revenir si les symptômes persistent ou augmentent. Je préfère revoir certains patients, même si l'examen et les tests biochimiques s'avèrent normaux. Cela rassure les patients, ils se sentent pris en charge et n'ont pas l'impression d'être venus pour rien. Il en va de même pour la dépression; malgré des signes et des symptômes évidents de dépression profonde, il arrive trop souvent que les gens ne consultent aucun médecin. À l'aube du troisième millénaire, il est grand temps que l'on comprenne mieux la dépression et qu'on la traite au même titre que les maladies physiques telles que le diabète ou l'asthme. Si un jeune de votre entourage semble être touché par la dépression, pourquoi ne pas consulter un médecin? Si ce n'est pas grave, tant mieux. Si c'est une dépression, vous aurez peut-être sauvé quelqu'un!

Lectures et références

DELAGE, Jocelyne. *La dépression chez les adolescents*, Québec, Éditions Revue Notre-Dame, février 1995.

GAREL, Patricia. *Adolescents en danger de suicide*, Montréal, Éditions Prisme, septembre 1995.

GAREL, Patricia. *École et santé mentale*, Montréal, Éditions Prisme, septembre 1997.

LALONDE, Pierre et Frédéric GRUNDBERG. *Psychiatrie clinique: approche contemporaine*, Boucherville, Gaëtan Morin éditeur, 1980.

LAPLANTE, Laurent. *Les suicides chez les jeunes*, Québec, Éditions Revue Notre-Dame, juin 1997.

Chapitre 4

Le troisième âge

Les plus belles années de notre vie sont celles qu'il nous reste à vivre.

Victor Hugo

Ce matin, je quitte la maison à l'épouvante. Je me suis levé en retard, je me sens irritable, j'ai les « bleus », le cafard, comme disent les Français.

J'aurais bien aimé avoir une ou deux heures de plus pour dormir. Pourquoi est-ce toujours la dernière heure de sommeil qui est la plus agréable et la plus courte en même temps?

J'ai mal dormi cette nuit, tournant sans cesse sous les draps pour trouver une position confortable, mais dans ma tête les idées tournaient tout autant; le travail, les malades, les infirmières, les conversations téléphoniques avec d'autres médecins revenaient sans cesse me hanter. Comme si je n'en voyais pas assez durant les longues heures de travail, le jour, il faut que certains patients reviennent me consulter pendant la nuit! Alors je me retrouve encore dans cette foutue urgence à faire et à refaire des diagnostics, à remettre en question mes traitements. J'ai passé toute la nuit à ruminer des cas : y avait-il un infarctus déguisé en gastrite chez ce camionneur? ou une appendicite chez la fillette qui avait mal au ventre? ou un début de méningite chez ce bébé qui faisait de la fièvre?

Vers six heures et demie, c'est la voix de l'animateur de radio qui me réveille; je sursaute, me couvre la tête de mon plus gros oreiller et me dis : «Ce n'est pas vrai, ce n'est pas déjà le matin!» Je donne un coup de poing au radio-réveil, ce qui le fera taire pour au moins vingt minutes.

Trente minutes plus tard, la tête toujours enfouie sous les couvertures et les oreillers, je me réveille de nouveau et m'aperçois que je suis en retard. Branle-bas de combat, la douche chaude, la mousse à raser, le rasoir qui m'écorche la peau comme si ma main droite était atteinte de la maladie de Parkinson, le pantalon et la blouse d'hôpital verte que j'enfile en vitesse après l'avoir sortie de la sécheuse.

Vite, je saute dans ma voiture glaciale. Quelques mois ont passé, nous sommes maintenant le 20 décembre.

En roulant vers l'hôpital, je réfléchis. Dieu que le temps passe vite! Quand pourrai-je acheter mes cadeaux de Noël?

À la radio, l'animateur salive en racontant en détail l'histoire d'une dame de soixante-seize ans qui est décédée dans une urgence sans avoir été vue par le médecin de garde. L'urgence débordait, semble-t-il, et la dame est morte dans le corridor avant que le médecin ait eu le temps de s'occuper d'elle.

L'animateur jubile en interviewant en direct le fils de la dame, qui est maintenant décrite comme une «victime de notre système de santé». Le fils explique que sa mère était une grande malade qui avait beaucoup fumé dans le passé; elle souffrait d'emphysème, d'insuffisance cardiaque et d'une maladie coronarienne sévère pour laquelle elle avait eu quatre pontages dix ans auparavant.

— Elle était tellement malade, dit le fils, qu'elle prenait plus de quinze pilules par jour, et elle avait trois sortes de pompes pour ses poumons. C'est incroyable qu'on laisse des grands malades comme ma mère mourir dans les corridors sans être vus par un médecin.

— Vous étiez très proche de votre mère? demande l'animateur.

— Oui… je la voyais au moins une fois par mois. Mais, vous savez, elle était tellement malade qu'elle ne sortait pas l'hiver.

— Votre mère était donc très malade. Allait-elle souvent à l'hôpital?

— Oui. Elle a été hospitalisée il y a à peine un mois pour une pneumonie.

— Et à la maison, avait-elle une qualité de vie acceptable? continue l'animateur.

— Vous savez, à cet âge, et malade comme elle l'était, elle ne faisait pas grand-chose; elle avait à peine la force de se déplacer, elle était toujours très essoufflée.

— Elle ne fumait plus, j'espère!

— Eh bien… oui. Que voulez-vous? C'était le seul petit bonheur qu'il lui restait.

— Qu'allez-vous faire, maintenant?

— On songe à poursuivre l'hôpital et son personnel, car ils ont manqué à leur tâche. Il faut que la mort de ma mère serve d'exemple. On ne peut pas laisser les gens mourir seuls dans un corridor d'urgence, ce n'est pas humain!

L'entrevue se termine par les paroles de l'animateur : « C'était l'histoire de madame X, une autre victime de notre système de santé! »

Je me dis : « Voilà une autre histoire dont on n'a pas fini d'entendre parler. Ce qu'on ne dira pas, par contre, c'est qu'aujourd'hui il y a de plus en plus de gens âgés très malades qui sont vivants grâce aux traitements quasi miraculeux de la médecine. Ces gens très malades viennent au service des urgences fréquemment, et d'un épisode à l'autre, d'une pneumonie à l'autre par exemple, ils perdent chaque fois un peu de leurs capacités physiques, et arrive un jour où ils meurent, emportés par des défaillances multiples touchant le cœur, les poumons, les reins et le foie. Dans notre jargon, cet état s'appelle *total body failure* ou défaillance généralisée. On pourrait comparer ces grands malades à des cancéreux en phase terminale. Autrefois, ces gens mouraient à l'âge de quarante-cinq ou cinquante ans, à la maison. Aujourd'hui, ils vivent plus longtemps grâce aux médicaments et aux soins médicaux, mais le corps humain a ses limites; ainsi, après des années d'agressions par des facteurs comme la cigarette, l'alcool et la mauvaise alimentation, le corps flanche; et, malgré la meilleure volonté du monde, l'expertise médicale et des millions de dollars de traitements, nous ne pouvons sauver toutes ces personnes. »

Dans les prochaines années, je crois que nous verrons de plus en plus de gens comme cette dame qui viendront mourir dans les services d'urgence car, de nos jours, la mort a lieu à l'hôpital; ainsi, dans 90 % des cas, les gens viennent mourir à l'hôpital et, pour accéder à un lit, il faut passer par l'urgence.

Il ne faut pas pour autant tirer sur le système de santé, car les temps ont bien changé depuis l'époque où les gens mouraient à la maison, entourés de leur famille, qui veillait sur eux en leur épongeant le front et en les rassurant. Aujourd'hui, on désire que la société prenne la mort en charge par le biais des hôpitaux; je suis d'accord sur ce point, mais il va aussi falloir que les familles aident le système de santé à humaniser les soins et la mort, car cette humanisation, à mon avis, passe d'abord par la présence de la famille au chevet du malade. Or, je vois trop souvent des gens âgés arriver par ambulance à l'hôpital sans être accompagnés d'un membre de leur famille. Il arrive même que la famille ne se manifeste pas, qu'elle ne retourne pas nos appels et qu'elle ne demande aucunes nouvelles du patient. Ce phénomène est particulièrement fréquent durant la période des vacances estivales et du congé des fêtes. Nous appelons cela « le *dumping* du temps des fêtes et des vacances d'été ».

Il est vrai que ce n'est pas humain de mourir dans une urgence! Les gens méritent mieux que de terminer leur vie dans un corridor bondé. Nous devons donc trouver des solutions à ce problème, qui s'aggravera dans les prochaines années, mais pour l'instant, pour beaucoup de gens cela vaut mieux que de mourir seul à la maison. Malgré le cadre impersonnel et toute l'activité qui bourdonne à l'urgence, je constate toujours que les gens âgés, seuls et très malades y trouvent un réconfort ert une sécurité; l'angoisse de la maladie et de la solitude s'apaise. En dépit de tout ce que l'on peut dire ou écrire, je pense que beaucoup de personnes âgées se réfugient à l'urgence. Mourir seul est sans doute l'une des pires façons de terminer sa vie.

L'émission de radio se poursuit. L'animateur prend maintenant les appels des auditeurs. Tous déblatèrent contre le système de santé. Ce matin, on fait le procès des médecins et des infirmières, on les passe au tordeur, à la moulinette et au broyeur à déchets. Un auditeur dit : « On est traités comme des animaux », à quoi l'animateur répond : « Non, monsieur, les animaux sont mieux traités que nous. »

Après cela, une dame intervient pour expliquer qu'elle a été bien traitée dans cet hôpital où l'autre femme est morte; l'animateur rétorque : « Eh bien, madame, comptez-vous chanceuse d'être vivante aujourd'hui », et il interrompt la communication sans la laisser poursuivre.

« Quel idiot et quel démagogue, cet animateur! » dis-je tout haut en changeant de station. Là aussi, on insiste sur la mort de cette femme : « Une dame âgée de soixante-seize ans est morte dans un corridor de l'urgence sans être vue par le médecin... » Décidément, c'est la nouvelle du jour! J'espère au moins que, du haut de son nuage, cette dame qui vivait une vie tranquille et réservée peut observer tout l'émoi que sa mort a créé; c'est quand même beau d'entendre tous ces témoignages d'affection de la part de son fils et de sa famille, et de voir toute l'attention que les médias lui portent, non? Je me demande si, de toute sa vie, elle a reçu autant de marques de sollicitude qu'au cours des dernières heures.

Suivent les nouvelles du sport. Le journaliste est un expert du sport « régional ». Ce matin, il s'offusque du renvoi d'un jeune gardien de but : « C'est un gars bourré de talent, âgé de dix-neuf ans, dont le salaire annuel n'est que de un demi-million de dollars. Pourquoi ne pas lui laisser sa chance? Il a seulement des problèmes de confiance en lui, c'est juste son " psychologique" qui est en panne. »

«Pauvre petit garçon, me dis-je en soupirant, qui gagne quand même deux fois plus d'argent que mon ami Pierre, qui est chirurgien cardiaque et qui a fini ses études à l'âge de trente et un ans. Mais il ne faut surtout pas comparer les études avec le talent des athlètes, voyons, ça n'a aucun rapport!»

D'ailleurs, il vaut peut-être mieux ne pas trop réfléchir au sport! Prenez la simple question des billets: les prix, surtout au hockey, sont devenus à ce point ridicules que cela va forcément devenir néfaste pour le sport professionnel.

Jusqu'à l'an dernier, mon ami Pierre et moi allions fréquemment voir des matchs de hockey. Mais il y a un an, en revenant d'un match médiocre que le Canadien avait perdu et qui nous avait coûté 120 $ chacun, j'ai eu le malheur de poser trois questions à Pierre. Depuis, nous ne sommes jamais retournés voir les Glorieux, qui sont si souvent en panne pour raisons «psychologiques».

La première question était celle-ci:

— Est-ce que ça prend du talent pour changer une valve mitrale à cœur ouvert chez un patient endormi et bien vivant?

Pierre me répondit:

— Tu me niaises ou quoi?

— Et est-ce que ça prend beaucoup d'études pour lancer une rondelle dans un filet?

Pierre me répondit de nouveau:

— Tu me niaises ou quoi?

Je posai alors ma troisième question:

— Si ton «psychologique» ne va pas bien, est-ce que tes performances opératoires sont diminuées?

À quoi il me répondit:

— Tu me niaises ou quoi?

Ce fut le dernier match auquel nous avons assisté.

Ensuite, le spécialiste des sports fait le point sur le dossier chaud de l'équipe locale de baseball, qui ne pourra survivre à la hausse fulgurante des salaires de tous ses talentueux joueurs si on ne fait rien. Heureusement que notre expert a bien dormi et qu'il a réfléchi à la situation. Il a trouvé LA solution. Et SA solution sauvera non seulement l'équipe, mais aussi la ville de Montréal tout entière. Ce qu'il faut, c'est simplement construire un nouveau stade au centre-ville, avec l'aide du gouvernement, qui acceptera de payer certains coûts de construction et de réduire les taxes et impôts des propriétaires et des joueurs. « Ah! mais oui, c'est vrai, quelle brillante idée! me dis-je. Comment se fait-il qu'on n'y ait pas pensé avant? C'est pourtant simple... Et pourquoi ne pas fournir les hot dogs en prime? »

Le spécialiste termine son reportage en abordant une fois de plus les problèmes du toit du stade olympique, stade qui ne fait plus l'affaire de l'équipe de baseball, dont la toile vient de déchirer pour la énième fois, et qui, soit dit en passant, a coûté un milliard de dollars aux contribuables. Il conclut : « Je me demande si l'on ne devrait pas le démolir; de toute façon, avec le nouveau stade au centre-ville, on n'en aura bientôt plus besoin. » Il cède ensuite l'antenne à l'animateur, qui semble beaucoup apprécier ses propos.

Évidemment, il n'est pas question des graves problèmes que vivent les Algériens, qui se font massacrer et égorger par des barbares, ou du drame touchant les jeunes filles de la Corée du Nord, qui sont vendues pour la somme de 150 $ à des Chinois afin de leur servir d'épouses et d'esclaves. L'animateur sait-il seulement qu'en Chine il y a aujourd'hui une importante pénurie de jeunes femmes? En effet, depuis plus de trente ans, comme les familles n'ont le droit d'avoir qu'un seul enfant, elles ont pour la plupart donné la priorité aux garçons et cédé les fillettes à l'adoption internationale. Une situation que je déplore, d'autant plus que les médias ne s'y attardent plus.

Puis l'animateur recommence à prendre des appels du public. Le premier intervenant dit :

— Oui, un nouveau stade, c'est une bonne idée.

L'animateur précise :

— Il faut que le gouvernement s'implique, sinon ça ne marchera pas.

Un second intervenant dit : « C'est bien beau, un nouveau stade, mais qu'arrivera-t-il si les salaires continuent d'augmenter au rythme actuel ? »

L'animateur : « Ben voyons, ça va s'arrêter un jour. »

« Trop, c'est trop, me dis-je en fermant la radio. Les gens sont-ils devenus aveugles, sont-ils manipulés ou simplement peu critiques ? Le monde tourne à l'envers. »

J'arrive maintenant au stationnement de l'hôpital. À la vue de cet édifice qui est ma seconde demeure, il me vient un léger mal de tête. Ce sont toujours les mêmes symptômes qui apparaissent lorsque je travaille trop et que je dors mal. Bon, il faut me résigner ; la journée passera vite, Noël s'en vient et, dans quelques semaines, je vais partir en vacances.

Une autre journée débute, pour le meilleur ou pour le pire ; souhaitons que ce soit pour le meilleur. Il fait froid, l'hiver commence rudement cette année. Ou bien est-ce moi qui vieillis et qui m'adapte moins bien ?

Je me dirige vers la porte adjacente à l'urgence, située à l'arrière de l'hôpital. Dans le stationnement, je croise deux hommes aux vêtements usés, aux bottes attachées avec du ruban adhésif. Ils ont les cheveux sales et mêlés, leur barbe est si longue qu'on ne devine leur bouche que par la buée qui s'en échappe, comme la vapeur de deux locomotives. L'un d'eux tire un panier d'épicerie lourdement chargé, l'autre le pousse ; la neige entravant les petites roues, ils ne parviennent que péniblement à se frayer un chemin vers un conteneur de déchets placé au bout du stationnement.

Le plus petit, celui qui pousse le panier, boite et laisse traîner son pied droit, qui trace un sillon dans la neige ; le deuxième, devant le panier, porte de grosses mitaines de couleurs et de tailles différentes et semble avoir un bras plus court que l'autre. Dans le panier, il y a toutes sortes de cochonneries : canettes de bière et de boissons gazeuses vides, sacs à ordures verts sur le point d'éclater, deux ou trois bouteilles de vin à demi pleines ; deux sacs de couchage attachés avec des ficelles pendent au panier, et sur ces sacs on a cousu le logo d'une grande chaîne de magasins, avec l'inscription

« Gracieuseté des magasins… » C'est un cadeau et une publicité en même temps! Des côtés du panier pendent aussi deux paires de sandales effilochées, qui attendent probablement l'été.

Lorsque je les croise, le plus petit des deux me regarde et demande d'une voix chevrotante : « Avez-vous du change pour un café? » Il me tend une main qui tremble légèrement et régulièrement, signe évident de sevrage alcoolique. Je m'arrête, le convoi stoppe immédiatement. Je fouille dans mes poches et sors deux pièces de deux dollars que je pose dans sa main qui s'agite.

Il ne me fixe pas, son regard est dirigé vers le sol. Timidement il dit : « Merci, Joyeux Noël. » Puis, tant bien que mal, le convoi s'éloigne dans une ruelle, à l'abri du regard des policiers, des gens d'affaires et des politiciens.

Je me sens coupable en les voyant; c'est vrai que nous sommes gâtés et choyés, mais il y a aussi beaucoup de misère et de pauvreté dans notre société; elle se cache dans les ruelles et elle ne fait pas ses emplettes de Noël dans les grands magasins, mais plutôt dans des conteneurs à déchets. Tiens, j'y pense, cet homme a été le premier à me souhaiter Joyeux Noël, cette année.

Mon mal de tête augmente, ma mauvaise humeur grandit. J'ouvre la porte avec vigueur, j'aspire la première bouffée d'air aux odeurs de désinfectant typique de tous les hôpitaux. La journée commence; j'espère qu'elle va être tranquille.

Je traverse les corridors où les malades sont couchés sur des civières alignées : toujours la même image, « comme des wagons dans une cour de triage ».

Pendant que j'attends l'ascenseur menant au vestiaire, mon attention est attirée par un vieil homme assis sur le bord de sa civière; il oscille de l'avant vers l'arrière, mouvements qui signifient qu'il a eu un accident cérébral au cervelet. À l'aide de sa cuillère il attaque un bol de gruau, mais les tremblements de ses mains lui rendent la tâche très difficile. Quand il réussit enfin à poser la cuillère dans le bol, c'est tout le plateau qui est agité par le mouvement sismique; le café tombe dans le bol de gruau, et le mélange devient grisâtre et gluant. Le vieil homme tente désespérément d'en porter une cuillerée à sa bouche, mais les tremblements s'accentuent, et il s'envoie du gruau sur les joues, dans les oreilles et dans le nez, ce qui le fait éternuer et renverser son plateau sur la civière du voisin.

Le voisin est un jeune homme qui a la physionomie de l'homme de Neandertal, avec une touche de modernisme urbain alliant la mode skinhead et le style motard. Sur ses bras, de nombreux tatouages montrent des pierres tombales; cela signifie que cet homme a touché ses cibles humaines dans des guerres entre motards. Cette façon de faire rappelle les aviateurs de la Deuxième Guerre mondiale, qui dessinaient de petits avions marqués d'un X sur la carlingue de leur appareil. Aujourd'hui, les motards se font tatouer des pierres tombales portant les initiales de leurs victimes abattues Étonnant, ce monde!

L'homme de Neandertal dévisage le vieillard et lui dit :

— Hey, pépère, on t'a jamais appris à manger à table, crisse?

Le vieil homme maigrichon, au visage poissé de gruau, le regarde et rétorque d'une voix éteinte en bégayant : « Va, va, va... » Il fait une pause, reprend son souffle et continue : « ... do, do, donc, donc... » Deuxième pause, deuxième ins- piration, puis : « ... chi, chi, chier... » Troisième pause, très grande inspiration. Et finalement : « Va donc chier, gros chien sale! »

L'individu à mi-chemin entre le singe et l'homme se retourne, se nettoie, saute de la civière, prend sa tige à soluté et se dirige vers le vieillard. Il bout de colère, il a les yeux d'un gorille enragé.

— Crisse, t'es chanceux d'être un p'tit vieux parce que t'en mangerais une calvaire... Je m'en vas fumer ailleurs, 'stie, avant de te casser en deux.

Le vieil homme le regarde et réplique :

— Tu... tu... ne... ne... me... me... fais... fais... pas peur.

Et il prend une grande inspiration.

Puis, pointant du doigt vers le chariot à déjeuners, il me demande avec une esquisse de sourire :

— Hé! le… le jeu… le jeun… le jeune, voudrais-tu me do… donner un autre cabaret?

Je m'avance et lui remets un autre plateau. Il me remercie avant d'entamer une autre guerre avec son gruau.

« Ouf! quelle belle journée qui s'annonce », me dis-je en entrant dans l'ascenseur.

La porte coulissante se referme et dévoile un graffiti : « Je travaille au 4e sud, je m'appelle Po-Paul et j'aime sucer les jeunes garçons de moins de 60 ans. » À côté du graffiti de Po-Paul, un autre a répondu : « Le Viagra s'en vient, on t'attend en gériatrie. » Et c'est signé Euclide Le pendant.

Sans commentaire. Mais cela me fait tout de même sourire.

Ce matin, je suis chargé de la tournée des gens en observation, c'est-à-dire ceux qui sont couchés sur une civière et qui, en principe, ne devraient pas rester plus de vingt-quatre heures dans cette situation désagréable. Tous ces malades attendent soit d'être hospitalisés, soit, si leur état de santé s'est amélioré, d'être renvoyés chez eux avec des médicaments. On les désigne par les termes « hospite » si on les garde et « congédié » si on les renvoie à la maison.

La journée commence à un rythme d'enfer. Sur le tableau où sont affichés les noms de tous les patients, je remarque qu'il y a des gens partout, dans les moindres recoins de l'urgence. De plus, rien ne semble avancer, ce matin; c'est comme une congestion chronique à l'heure de pointe; les cas de la nuit restent sur place en attendant d'être vus par les spécialistes; on manque de personnel pour pousser les civières aux étages ou en radiologie, ce qui ralentit tout.

Au poste, un groupe d'infirmières discutent des périodes de pause, qui commenceront à neuf heures; des dîners, qui débutent à onze heures, et des secondes pauses, celles de l'après-midi, qui commencent à quatorze heures.

Elles parlent aussi des périodes allouées aux vacances. L'une d'entre elles dit :

— Pourquoi est-ce que Marie a pris cette semaine-là? Elle n'a pas d'enfants… Mais moi, si je ne prends pas cette semaine-là, je n'aurai pas de vacances avec mon mari et mes enfants.

Une autre lui répond:

— Marie a plus d'ancienneté que toi, c'est tout; ça n'a rien à voir avec tes enfants.

Elles discutent aussi de « *bumping* ». Le *bumping* est un règlement syndical qui permet de prendre le poste d'un autre employé qui a moins d'ancienneté au travail. Ainsi, on peut *bumper* le travailleur ayant moins d'ancienneté, qui ira à son tour *bumper* quelqu'un d'autre, et ainsi de suite. Avec ce règlement, on assiste à de complexes roulements de personnel.

Parfois, de jeunes infirmières aimant le travail à l'urgence se font *bumper* et se retrouvent dans des unités telles que la gériatrie, où les soins sont dirigés vers le long terme, et vice versa.

On crée des situations où, en bout de ligne, peu de gens sont heureux: une secrétaire qui aimait son boulot s'est fait *bumper* et est devenue commis; ce poste était occupé par une copine, qui n'a vraiment pas apprécié son geste et qui lui en a gardé rancune pendant des mois; mais, à son tour, celle-ci a *bumpé* une jeune préposée à l'entretien, qui, elle, fut *bumpée* au bout de la chaîne de travail, c'est-à-dire au chômage! Aux dernières nouvelles, elle attendait toujours qu'un autre poste se libère.

À mon avis, ce système de *bumpage* manque de souplesse et il est mal adapté aux changements rapides et nombreux que vivent les hôpitaux; il est aussi extrêmement complexe, et je vous avoue humblement que je commence à peine à le comprendre après plusieurs années de travail dans les hôpitaux. Je ne sais pas s'il existe une meilleure façon d'administrer un hôpital, mais une chose est certaine, c'est que, avec le temps, les conditions de travail se sont détériorées et alourdies pour tous les travailleurs et travailleuses de la santé.

Je commence mes visites par les corridors; si au moins je peux régler quelques cas… Il est extrêmement pénible de dormir sous les néons, sans intimité, comme si l'on dormait dans une station de métro. Je sais comment ces malades se sentent, j'ai vécu cette situation à vingt-deux ans, lorsque j'ai été atteint d'une leucémie dont j'ai heureusement guéri[*]. J'ai été hospitalisé dans un corridor de l'urgence et, même si tout s'est bien passé, j'espère ne pas avoir à revivre cette expérience.

La première malade que je vois est une vieille dame qui vit seule; elle souffre d'un problème de vision causé par des cataractes, et elle est en attente de chirurgie pour remédier à ce problème. Malheureusement, hier, elle a fait une chute en se rendant à l'église; elle n'a pas vu une marche et elle s'est fracturé la hanche.

Elle sera opérée dans la journée par l'orthopédiste de garde, mais celui-ci doit aussi opérer les trois cas de la veille avant d'opérer cette dame car, à cause des compressions budgétaires, deux de nos salles d'opération sont fermées; même s'il y a beaucoup de cas à opérer et que l'on dispose de médecins et d'infirmières, on n'ouvre pas de salles supplémentaires parce que cela imposerait des coûts additionnels; les malades attendent donc plus longtemps. De plus, on opère les cas urgents qui, inévitablement, prennent la place des cas dits électifs, c'est-à-dire ceux qui doivent être opérés sans passer par le service des urgences. Ces cas étant moins pressants, on les met sur une liste nommée «liste d'attente de chirurgies électives».

Cette dame attendait justement une chirurgie élective pour la cataracte; à cause de son problème, elle n'a pas vu un obstacle, elle est tombée et s'est brisé la hanche. Cette situation est fréquente, voire même habituelle, et elle est due aux longues périodes d'attente. Pour l'opération de la cataracte, l'attente dépasse parfois six mois. Si cette dame avait subi

---

[*] Voir *Survivre à la leucémie*, du même auteur.

l'intervention dont elle avait besoin, peut-être aurait-elle évité cette chute.

La dame me demande si elle peut manger; il y a plus de vingt-quatre heures qu'elle est à jeun.

Je vais m'informer de la liste opératoire; je reviens voir la dame et lui confirme qu'elle sera opérée en fin de journée.

— Et, malheureusement, vous devez rester à jeun; je ne voudrais pas que votre opération soit reportée à demain parce que vous auriez mangé.

L'opération de cette pauvre dame a été repoussée d'heure en heure, et l'anesthésie générale nous oblige à garder les malades à jeun avant une opération. Je lui dis qu'elle peut boire un peu d'eau.

En me dirigeant vers un autre malade, je repense à nos cours de médecine, où les professeurs nous disaient qu'il fallait toujours opérer les malades le plus rapidement possible afin d'éviter le jeûne prolongé, qui cause une perte d'énergie pouvant mener à un état de catabolisme, état qui affaiblit les malades et augmente les risques de complications postopé-ratoires telles que les infections, les désunions des sutures de plaies, les problèmes cardiaques et rénaux; ce qui, au bout du compte, augmente considérablement les journées d'hospi-talisation. Ce principe est facile à comprendre : une opération moyenne demande à l'organisme une dépense énergétique comparable à celle d'une course de cinq à dix kilomètres; si vous ne mangez pas pendant quarante-huit heures ou même vingt-quatre heures avant de faire ce parcours, il y a de bonnes chances pour que vos performances soient diminuées et que vous ne puissiez même pas finir le parcours.

Après avoir vu une dizaine d'autres malades, je croise le docteur Picotte. Le docteur Picotte, qui est âgé d'une cin-quantaine d'années, est le coordonnateur de l'urgence; c'est lui qui veille à la bonne marche du service. Personnellement, je n'ai pas beaucoup d'atomes crochus avec lui; c'est un pseudo-médecin et un pseudo-administrateur.

Certaines langues de vipère disent qu'il est l'amant de l'infirmière-chef; je ne sais pas si c'est vrai. Cependant, une chose est certaine, c'est qu'il s'entend remarquablement bien avec l'administration de l'hôpital, ce qui fait aussi dire aux mauvaises langues qu'il aimerait avoir un jour le poste de directeur des services professionnels.

Un autre détail me fatigue beaucoup chez le docteur Picotte : sa propension à finir ses phrases par un proverbe plus ou moins approprié à la conversation; il se donne ainsi un air faussement intellectuel très agaçant.

Le docteur Picotte me dit :

— Tu sais, Robert, il y a plus de soixante malades dans l'urgence; essaie donc d'en congédier quelques-uns, ça nous aiderait un peu.

Une pile de dossiers dans les bras, je lui réponds :

— Qu'est-ce que vous croyez que je fais, de la distribution de circulaires?

— Nos statistiques sont vraiment déplorables, ce mois-ci. Le GTI* va encore nous tomber dessus, et on risque de perdre un pour cent du budget de l'hôpital. Cela représente des dizaines de milliers de dollars.

— Je vais faire mon possible.

En se retournant, il ajoute sans me regarder :

— C'est vraiment important que les médecins participent à la bonne gestion des soins… Pierre qui roule n'amasse pas mousse…

Je me dirige vers le poste pour remplir mes dossiers. Il s'imagine quoi, le docteur Picotte? Que je fais des miracles?

« Donnez des congés, donnez des congés, donnez des congés. » Pour un administrateur, un bon médecin est celui qui ne garde pas trop de malades à l'hôpital, celui qui demande le moins de tests diagnostiques, celui qui prescrit les médicaments les moins chers et, bien sûr, celui qui ne commet pas d'erreurs. Car, attention!, si je fais un diagnostic erroné, les médias vont me sauter dessus, ils sont à l'affût du

---

* Le GTI est le Groupe tactique d'intervention dans les urgences, qui a été mis sur pied par le gouvernement et qui a pour but de surveiller le fonctionnement des urgences. Voir le chapitre 1, pages 49-50.

moindre problème; il ne faudrait surtout pas que l'hôpital soit traîné dans la boue à cause d'une erreur médicale.

Or, c'est bien beau de donner des congés rapidement à des malades sans parfaire son diagnostic mais, lorsque des complications graves interviennent, tous ces bons fonctionnaires disparaissent comme par enchantement, et aucun d'entre eux ne viendra me défendre si j'invoque l'encombrement de l'urgence ou des pressions administratives visant à maintenir des statistiques adéquates.

« Pierre qui roule n'amasse pas mousse! » Je suppose que, dans la tête du docteur Picotte, cela veut dire : « Malade dehors n'accumule pas de déficit ».

Avec les années, j'ai appris à ne pas me soucier de ces directives administratives. Je dis : « Oui, oui, docteur Picotte, je m'en occupe », et je fais mon travail du mieux que je peux sans m'inquiéter des statistiques.

Ce sont les administrateurs qui nous imposent leur gestion de la santé; ce sont eux qui prennent des décisions comme celles de fermer des étages complets qui étaient autrefois attribués aux malades et de limiter le nombre de salles d'opération destinées aux cas électifs, ce qui allonge les listes d'attente.

Eh bien, tant pis pour eux, car ce n'est pas moi qui vais prendre la responsabilité médicale de leurs décisions; et lorsque leurs statistiques prouveront qu'ils se sont fourvoyés, ils réfléchiront peut-être à d'autres solutions.

En ce qui me concerne, un malade n'est pas une statistique.

J'ai toujours ce mal de tête qui ne lâche pas; je vais me chercher trois comprimés d'acétaminophène et un grand café.

Le prochain cas est celui d'une jeune femme de trente ans qui a eu un mal de tête subit hier. Le médecin a demandé une tomodensitométrie cérébrale (*ct-scan*) d'urgence, mais l'examen a été refusé par un responsable du service de radiologie; celui-ci a donné comme raison qu'il n'y avait pas de corrélation clinique avec le diagnostic envisagé, c'est-à-dire une possibilité d'hémorragie cérébrale. Ils ont donc tout simplement reporté son cas sur la liste des examens électifs, c'est-à-dire non urgents.

Je réexamine la jeune femme; ses maux de tête ont disparu, l'examen neurologique est tout à fait normal, sauf pour une légère raideur de la nuque, qui pourrait correspondre à une hémorragie cérébrale qui s'est rapidement tarie. Je retourne au poste, téléphone au responsable de la radiologie et lui explique le cas. Il me dit :

— Je doute de la pertinence de cet examen; les symptômes font plutôt penser à une migraine.

— Peut-être, dis-je, mais elle a une légère raideur de la nuque; cela pourrait correspondre à du sang dans son liquide céphalorachidien.

Après une longue pause suivie d'un soupir, il répond :

— On est débordés, mais envoyez-moi une nouvelle requête; on va la « passer », même si je suis sûr que le résultat va être normal.

Tout en rédigeant une seconde demande, je me dis qu'il y a aussi des fonctionnaires qui croient qu'un examen diagnostique normal est un examen inutile, une perte monétaire, une plage de temps qui aurait pu être employée pour un patient vraiment malade.

Pourtant, un bon médecin n'est pas celui qui prescrit des tests diagnostiques qui confirment toujours la présence d'une maladie. Statistiquement, il est prouvé que ceux qui se contentent de prescrire des tests quand ils sont certains des résultats manquent des occasions de poser des diagnostics précoces. À l'opposé, je connais des médecins qui prescrivent des tests pour tout et pour rien, sans faire de bons questionnaires ni d'examens physiques, ce qui n'est pas mieux.

Il est de plus en plus difficile d'être un Sherlock Holmes de la santé, en travaillant en fonction d'un sablier dans lequel le sable qui s'écoule marque à la fois le temps et l'argent.

La patiente suivante est une dame de soixante-dix ans qui a été gardée pour la nuit parce qu'elle avait des malaises thoraciques qui auraient pu être associés à de l'angine; des examens en cardiologie ont démontré que la dame ne souffrait pas de maladie coronarienne.

En la questionnant, j'apprends que depuis six mois elle souffre d'insomnie et que ses symptômes sont sûrement liés à de l'angoisse et à des spasmes de l'œsophage secondaires à l'anxiété.

Ses malaises ont commencé lorsque son mari a vendu le chalet, quelques mois auparavant. Elle me dit :

— Vous savez, nous ne sommes plus jeunes pour nous occuper d'un si grand chalet. Mais ça m'a fait beaucoup de peine de m'en départir car, depuis quarante ans, nous avons connu de si beaux moments près de ce lac. Nous y avons passé tous nos étés; c'est là que j'ai vu les enfants grandir. Ces moments au chalet sont mes plus beaux souvenirs.

Ensuite elle me confie que sa fille, qui est agente immobilière, les a également convaincus de mettre la demeure familiale en vente pour aller vivre dans une résidence pour personnes âgées, prétextant que la maison était beaucoup trop grande et demandait trop d'entretien pour deux vieux.

Je lui demande :

— Et vous, qu'est-ce que vous en pensez?

La dame hésite, réfléchit, puis :

— Je ne sais pas trop… C'est vrai que la maison nécessite beaucoup d'entretien, mais je trouve que nous sommes encore bien jeunes pour aller vivre dans ce genre de résidence…

Puis elle me dit que son rêve serait de trouver un petit condominium en Floride pour y passer les hivers. Mais son époux semble réfractaire à cette idée, car il a peur d'aller là-bas et il se trouve trop vieux pour investir dans un condo.

— Moi, lui dis-je, je trouve que c'est une excellente idée! Est-ce que votre mari est un amateur de golf ou de pêche?

Elle me répond en souriant :

— Il ne joue pas au golf, mais il adore la pêche.

— Eh bien, vous savez, il y a beaucoup de petits cours d'eau à l'intérieur de la Floride, et ils regorgent de poissons et de crevettes. Votre mari aurait beaucoup de plaisir à y pêcher, j'en suis certain.

— Vous croyez?

— J'en suis sûr. *Positive*, comme disent les Américains.

J'ajoute :

— Je vais vous faire passer un repas baryté pour vérifier votre estomac. Si tout est beau, vous pourrez partir en fin de journée.

Je retourne au poste, rédige la demande pour un repas baryté et poursuis ma visite. Bonne nouvelle : mon mal de tête diminue.

Le malade suivant est un homme de cinquante-cinq ans qui était hospitalisé il y a cinq jours à peine pour une pneumonie. En feuilletant son dossier, qui a l'épaisseur du bottin téléphonique de la ville de New York, j'apprends que ce patient est un fumeur invétéré. Il a été opéré avec succès il y a trois ans pour un cancer du poumon et il y a cinq ans pour un triple pontage coronarien. Cependant, malgré une bronchite chronique qui nécessite de nombreux médicaments, il fume toujours autant et doit être hospitalisé plusieurs fois par année.

Je le retrouve sur la civière numéro 29 : il est branché à l'oxygène et reçoit des médicaments par voie intraveineuse. Au premier coup d'œil, il semble beaucoup plus âgé que ses cinquante-cinq ans; je lui en donnerais facilement soixante-quinze.

— Bonjour, monsieur. Vous vous ennuyez de nous? Ça ne fait que cinq jours que vous avez quitté l'hôpital.

— Très drôle, répond-il. J'ai été mal soigné la semaine passée. On m'a donné mon congé trop vite.

J'ai l'impression de sentir les vapeurs de monoxyde de carbone et les poussières de cigarette expulsées de sa bouche, j'ai l'image du panache de fumée d'une cheminée de locomotive dans un film western, une cheminée crachant de toutes ses forces son poison vers le ciel.

Je le réexamine et lui dis :

— Il va falloir vous ré-hospitaliser : votre bronchite a récidivé.

— Je le savais, je le savais, mais je ne veux pas avoir le même pneumologue ce coup-ci.

— Ah! et pourquoi? dis-je, surpris.

— Il est fatigant, à la longue; il dit qu'il ne veut plus me traiter si je continue à fumer.

— Mais ce serait une bonne idée d'arrêter de fumer. En tout cas, avec vos antécédents, il serait grand temps que vous cessiez.

— Bon! un autre fatigant qui va me faire la morale. Avez-vous déjà fumé?

— Là n'est pas la question! C'est vous qui êtes malade et qui continuez à détruire votre santé avec la cigarette.

— Vous, vous n'avez sûrement jamais été malade pour parler comme ça aux gens.

En moi-même, je me dis que si je racontais chaque fois mes trois mois d'isolement complet dans une petite chambre à cause de ma leucémie et de la greffe de moelle osseuse que j'ai reçue, j'en surpasserais quelques-uns. Mais cela ne donnerait rien. Et, de toute façon, j'entends trop souvent ce genre de commentaires pour tomber dans le piège de la culpabilité.

— Que j'aie été malade ou pas, cela n'a pas d'importance. Ce qui m'importe, c'est votre maladie, qui n'est ni la bronchite, ni la pneumonie, mais la cigarette. Si vous continuez à fumer, vous allez mourir d'ici quelques années tout au plus.

— Un autre qui pense comme le pneumologue! J'ai tout essayé : les patchs, la gomme, l'acupuncture, l'hypnose… Rien ne marche. Fumer, c'est le seul petit plaisir qu'il me reste, alors foutez-moi la paix avec ça! ajoute-t-il, irrité.

— D'accord, dis-je avec impatience, c'est vous qui décidez. Mais ne venez pas dire qu'on vous soigne mal et qu'on vous sort trop vite, car c'est vous qui êtes responsable de votre maladie.

Et je m'éloigne pour m'occuper d'autres patients. À peine ai-je parcouru une trentaine de pas qu'il m'appelle :

— Docteur… docteur…

— Oui?

— Est-ce que je peux aller au fumoir?

— Faites ce que vous voulez; ça ne me regarde pas.

Et je m'en vais en pensant à un cas similaire que j'ai eu il y a quelques années : la dame avait les mêmes problèmes de santé, et je lui avais interdit de fumer pendant son hospitalisation. Quelques jours plus tard, elle déposa une plainte auprès du directeur des services professionnels et elle le menaça de s'adresser à la Ligue des droits des fumeurs. Pour acheter la paix, le directeur me demanda de lui permettre de fumer, ce que je fis.

Aujourd'hui, quand on pratique la médecine, on doit parfois oublier ses convictions et même ses compétences. On est souvent bien loin des principes de ses cours universitaires. Savez-vous que lorsque l'on traite correctement un bronchitique asthmatique, comme ce malade qui voulait tant fumer, ses bronches bien dilatées grâce à nos puissants médicaments bronchodilatateurs permettent à l'oxygène de pénétrer plus profondément? Savez-vous aussi que lorsque nous lui permettons de fumer entre les traitements, les mêmes médicaments bronchodilatateurs permettent à la fumée de cigarette de se rendre encore plus loin dans ses poumons et donc de créer encore plus de dommages. Mais allez donc essayer de faire comprendre ce phénomène à des irréductibles!

De toute façon, la vie quotidienne dans un hôpital est tout autre : pour éviter les disputes, les plaintes et les menaces, les médecins deviennent de plus en plus complaisants face aux revendications de certains malades, même si ces revendications peuvent nuire à la santé de ceux-ci. J'entends si souvent des phrases comme «Fumer, c'est mon seul petit plaisir », ou « Fumer, c'est mon seul défaut », ou encore « Fumer, c'est tout ce qui me reste », que je me demande parfois si le tabagisme, comme l'alcoolisme, ne serait pas la conséquence d'une dépression cachée. Peut-être devrions-nous expérimenter des traitements antidépresseurs chez ces gens.

Dans la vie, il faut se battre et foncer, ce qui implique des souffrances et des douleurs physiques et psychologiques. Maigrir, cesser de fumer, de consommer des drogues ou de l'alcool, changer ses habitudes de vie : c'est difficile, parfois pénible, ça fait souffrir, mais c'est le prix à payer pour une vie meilleure.

J'ai le ventre qui gargouille, je décide donc d'aller dîner, d'autant plus que le docteur Picotte n'est plus dans les parages. À l'entrée de la cafétéria, j'examine le menu :

Entrée
Jus de tomate
Soupe aux légumes et aux étoiles

Plats principaux
Pâté chinois
Omelette western

Desserts
Pudding chômeur
Salade de fruits
Jello aux framboises
Muffins variés

Passez une bonne journée!

Je prends mon rang dans la file et regarde les plats du jour qu'on garde chauds grâce à un système de bains-marie : le pâté chinois m'apparaît bien sec et l'omelette western bien humide.

La cuisinière à l'accent français me demande avec impatience :

— Que choisissez-vous, monsieur?

Devant mon indécision, elle ajoute :

— Pensez-y; je vais servir un autre client.

La personne qui me suit demande du pâté chinois. Comme je m'y attendais, le pâté s'émiette lorsque la cuisinière en prend une portion avec sa spatule. Décidément, ce n'est pas très appétissant. Et puis les brocolis accompagnant ce plat gastronomique sont trop cuits et mous comme des spaghettis.

— Monsieur a décidé?

Je me gratte le menton en regardant la vapeur qui s'échappe des bains-marie. La femme répète :

— Pardon, monsieur, avez-vous décidé?

— Oui, oui, je m'excuse, j'avais l'esprit ailleurs. S'il vous plaît, donnez-moi une soupe aux étoiles et un muffin varié.

Les lèvres pincées, elle réplique :

— Cher monsieur, ici, on ne donne rien, on sert. Car rien n'est gratuit dans ce bas monde, il faut tout payer… Il faut toujours tout payer, tout payer, tout payer, monsieur.

Surpris de ce commentaire, je me dis qu'elle ne doit pas être très loin de la dépression ou de l'épuisement professionnel.

Elle me sert la soupe et me fixe froidement.

— Et monsieur se pense drôle, je suppose, en demandant un muffin varié?

— C'était une blague; je vais le prendre au son et aux raisins.

— Il n'y en a plus.

— Ah… bon… euh… donnez-moi, enfin, je veux dire servez-moi, ou plutôt vendez-m'en un comme vous voulez, n'importe lequel; de toute façon, ils goûtent presque tous la même chose.

En effet, ils ont tous un goût de carton.

La cuisinière m'en sert un aux carottes tout en me présentant la facture. Je lui demande alors de m'ajouter un grand café. Elle soupire d'impatience. Je paie sur-le-champ et m'éloigne le plus rapidement possible. Derrière, j'entends deux petites vieilles hésitantes demander :

— Elle est à quoi, votre soupe du jour?

La cuisinière répond sèchement :

— Elle est aux étoiles et aux légumes, et ce n'est pas MA soupe.

— Est-ce qu'elle est très épicée?

— Ça dépend pour qui!

Puis les bruits de la cafétéria enterrent la conversation. Je me dirige vers une table où plusieurs médecins discutent en mangeant. En m'assoyant, je lance :

— Dites donc, la serveuse est de mauvaise humeur aujourd'hui!

L'un des médecins me répond :

— Oui, c'est à cause du *bumping*, je crois; elle va être envoyée à l'entretien ménager, et cela ne fait pas son affaire.

— Ah bon! Et qui la remplacera?

Le cardiologue répond en blaguant :

— Le vidangeur!

Puis ils poursuivent la discussion commencée avant mon arrivée. Aujourd'hui, on ne parle pas des taux d'imposition, ni des avantages des Audi sur les BMW, non; aujourd'hui on parle d'investissements, de placements financiers, et c'est un radiologiste fortuné qui est le chef d'orchestre :

— Moi, j'ai acheté des actions de Pfizer; avec le Viagra, je suis sûr de voir mes actions monter en flèche.

Le cardiologue dit en éclatant de rire :

— Ah oui! tu vas donner un grand coup!

Et tous s'esclaffent.

Le pneumologue ajoute :

— Oui, il paraît que ce médicament va ressusciter de vieux bouts de bois endormis depuis longtemps.

Le radiologiste rétorque :

— Riez, riez, vous verrez bien…

Effectivement, quelques semaines plus tard, les actions de Pfizer avaient monté de vingt-cinq pour cent grâce à ce médicament qui se vend 13 $ le comprimé et qui permet l'érection chez des hommes ayant des dysfonctions sexuelles.

Sur ces entrefaites, le bon docteur Picotte, tel un serpent silencieux, se faufile dans le groupe et s'assoit à côté de moi sans se faire remarquer.

— Alors, docteur Patenaude, c'est tout à coup devenu tranquille en bas pour qu'on prenne le temps de dîner ?

En regardant mon plateau, il ajoute :

— On mange léger, par contre.

Je le dévisage et réplique sur un ton moqueur :

— J'ai donné tellement de congés que je n'ai plus rien à faire.

Il demande, le regard illuminé :

— Sans blague, avez-vous donné beaucoup de congés ?

— Aucun, dis-je en soupirant. Les gens sont trop malades, je n'y peux rien.

— Merde, il va encore falloir payer des heures supplémentaires aux infirmières et aux préposés. Au bout du compte, c'est à eux que profite la situation.

Devant ce commentaire stupide, je me lève et salue le groupe.

Le docteur Picotte a le mot de la fin :

— Il faut battre le fer pendant qu'il est chaud.

En retournant à l'urgence, je me dis que je suis vraiment ultra-nul en gestion hospitalière, car je n'arrive pas à comprendre que nous payions des heures supplémentaires à des infirmières et à des préposés qui sont exténués et débordés, et qui ne demandent pas mieux que d'avoir un horaire de travail raisonnable. Je ne comprends pas non plus que nous gardions des malades entassés dans des corridors, alors qu'il y a deux étages vides à cause des compressions, près de quarante chambres avec des lits, des lavabos et des salles de bain. Et, en plus, il y a dix pour cent de chômeurs à l'extérieur, qui ne souhaitent rien d'autre qu'obtenir un emploi.

Enfin, on ne peut pas tout comprendre dans la vie. J'ai probablement des raisonnements trop simplistes. J'imagine qu'il faut une philosophie profonde pour comprendre tout ça, comme celle du docteur Picotte.

De retour dans le corridor de l'urgence, je me dirige vers la jeune femme qui avait de forts maux de tête ce matin, ce qui me fait penser que le mien a disparu.

— Bonjour, comment ça va?

— Mon mal de tête a réapparu, mais moins fort qu'avant.

Je la réexamine et constate que sa nuque demeure raide.

— Je vais voir les résultats de votre scanner et je reviens.

En me dirigeant vers la radiologie, je croise la dame anxieuse qui avait des symptômes de problèmes digestifs; elle a eu son repas baryté et me demande :

— Docteur, est-ce que vous venez me voir? Mon mari est là, il veut vous parler.

— Oui, oui, je vais vérifier vos résultats, et je reviens tout de suite.

Lorsque je frappe au bureau du radiologiste, j'entends :

— Entrez, si vous n'êtes pas de la sécurité.

L'homme, dans la cinquantaine, est chauve et bedonnant; il est assis confortablement dans un fauteuil de cuir au large dossier, au-dessus duquel émerge son crâne ciré et immobile; comme le crâne et le cuir se confondent, cela donne la bizarre impression que l'homme et le fauteuil ne font qu'un.

La pièce est sombre; un filet rectiligne de fumée de cigarette s'élève vers le plafond, devant un appareil où de multiples clichés radiographiques peuvent se dérouler automatiquement sous l'action d'une pédale. Ainsi, de son poste de commande, le docteur actionne la pédale et dicte ses observations, qui sont enregistrées sur un magnétophone situé dans la pièce adjacente, où une secrétaire les dactylographie.

Les seuls gestes trahissant la présence de la vie dans cette pièce sont les mouvements du bras droit du radiologiste lorsqu'il porte la cigarette à ses lèvres.

— Bonjour, docteur, dis-je.

Il ne se retourne pas. Je me demande s'il m'a entendu. Concentré sur un film montrant des poumons, il continue à dicter : « Et l'apparition de ces lésions semble récente, si l'on se fie aux radiographies de l'an dernier. Donc, ce malade a vraisemblablement un cancer du poumon avec envahissement du médiastin; il serait bon de poursuivre la recherche de métastases. » Il coupe l'enregistreuse, se penche sur le dossier du malade, baisse ses lunettes et dit :

— Pauvre femme! Quarante-deux ans, et elle est finie : cancer généralisé du poumon.

Il tousse et, sans se retourner, il me dit :

— Oui, docteur Patenaude, bienvenue au musée des horreurs!

— Je viens chercher les résultats des rayons X de deux patientes : un scanner cérébral et un repas baryté.

— Oui, oui, la jeune femme pour laquelle vous avez insisté afin qu'on lui fasse un scanner.

En même temps, il appuie sur la pédale qui fait reculer tous les films. Il arrête les images sur le scanner cérébral de la jeune femme.

— Vous aviez raison : elle a eu un petit saignement dans la région antérieure du quatrième ventricule gauche.

Il montre du doigt la lésion suspecte tout en tirant sur sa cigarette. Je dis :

— Il est donc possible qu'il s'agisse d'un anévrisme d'une artère communicante antérieure.

— Oui, c'est possible. C'est une bombe à retardement : si ça éclate, elle meurt.

Il fait une pause, aspire une autre bouffée de cigarette.

Je lui demande :

— Et l'autre patiente?

— Le repas baryté, vous voulez dire?

J'ai les yeux qui piquent.

— Oui, c'est ça, le repas baryté.

Le radiologiste actionne sa machine, et la collection de films se déroule devant nous.

— Voilà : l'estomac est un peu enflammé, c'est le signe d'une gastrite, rien de plus.

Et il ajoute en toussant :

— D'autres cas?

— Non, non, merci; ça suffit comme ça.

— Refermez la porte en sortant, car les agents de sécurité vont me coller une amende s'ils me voient fumer.

Je me dirige d'un pas rapide vers le poste de l'urgence; je dois transférer la jeune femme rapidement dans un hôpital où l'on fait de la chirurgie neurologique. Cet anévrisme au cerveau, c'est un peu comme une bulle sur un pneu : si ça crève, la jeune femme va paralyser et elle risque de mourir.

Dans le corridor, je croise la dame qui a la gastrite. Elle me redemande :

— Docteur, vous venez me voir?

— Ce ne sera pas long, je reviens tout de suite; j'ai de bonnes nouvelles pour vous.

Le docteur Picotte vient d'arriver au poste. Il regarde la liste des patients et remarque :

— Docteur Patenaude, je croyais que c'était une blague lorsque vous me disiez que vous n'aviez pas donné de congé, mais c'était vrai!

— Eh bien, oui! Mais ça va venir, ne vous inquiétez pas.

Je demande à la téléphoniste de me mettre en communication avec l'hôpital du Saint-Jésus; j'y ai un ami, Jean-François, qui vient tout juste de terminer sa spécialité en neurochirurgie. J'espère qu'il acceptera ma jeune patiente, car je n'ai vraiment pas le goût de faire le tour des hôpitaux universitaires pour la transférer.

Pendant ce temps, le docteur Picotte feuillette le dossier de la jeune femme et fait ce commentaire :

— Cette femme semble avoir une banale migraine. Vous pourriez la congédier?

— Cette femme à l'examen avait une légère raideur de la nuque; j'ai insisté pour qu'on la passe au scanner, et maintenant on a diagnostiqué un anévrisme cérébral de la communicante antérieure!

Le docteur Picotte dépose le dossier. Il est de toute évidence contrarié par mon intervention, qui, au fond, signifiait: «Laissez-moi donc travailler en paix, fatigant! Les conditions sont déjà assez difficiles comme ça.» Il tourne les talons en disant:

— Bon, je dois vous quitter, j'ai une réunion importante avec la Régie régionale au sujet des ressources pour le virage ambulatoire... Tout vient à point à qui sait attendre.

Pendant que je prépare le dossier pour le transfert, je médite sur la situation. Tous ces fonctionnaires qui organisent des réunions et inventent des thèmes pour alimenter leurs discussions sont également responsables des mots comme: ressources, bénéficiaires, sous-comité de gestion, structures administratives régionales et sous-régionales, échelles décisionnelles, aide aux bénéficiaires, perte d'autonomie, etc. Plus ça va, moins je comprends ce charabia administratif, alors comment le commun des mortels pourrait-il s'y retrouver? Aujourd'hui, on ne parle plus de malades, mais de bénéficiaires; on ne dit plus hôpitaux, on dit centres de santé de courte durée, qui sont des pavillons intégrés dans des réseaux de santé.

Au bout du compte, ce que ça change, tout ça, c'est qu'il y a de plus en plus de fonctionnaires qui réfléchissent et de moins en moins de travailleurs pour s'occuper des malades dans les hôpitaux.

La secrétaire m'interpelle:

— Docteur Patenaude, j'ai le neurochirurgien en ligne.

— Salut, Jean-François. Ça va?

— Oui, oui, ça va. Bof! c'est la folie ici, comme partout ailleurs.

Après quelques échanges de politesse, je lui raconte l'histoire de ma patiente.

— Oh! mon vieux, dit-il. C'est une bombe à retardement, cette jeune femme. Transfère-la à l'urgence, il n'y a pas de lit disponible en neurochirurgie.

Après une pause, il ajoute :

— Notre coordonnateur va gueuler, mais c'est pas grave : on est habitués.

Je retourne vers la jeune femme pour lui faire part de la situation. En me voyant, elle me dit :

— Je me sens mieux. Est-ce que je peux rentrer à la maison?

Je lui explique alors la situation. Elle commence à pleurer. Je tente tant bien que mal de la réconforter. Mais comment réconforter une jeune personne qui, dans quelques heures, se fera ouvrir le crâne et insérer une petite pince de métal sur une artère ayant normalement le diamètre d'un stylo bic mais qui, par suite d'une malformation, s'est gonflée pour devenir de la taille d'une balle de ping-pong et qui peut se rompre à tout moment?

— L'ambulance s'en vient, dis-je. Je vais vous donner un calmant.

— Mon mari est en route, et je ne peux pas le joindre. Il sera ici dans deux heures. Est-ce que je peux l'attendre?

— Non, je préfère que vous partiez le plus tôt possible… Mais ne vous inquiétez pas, je lui expliquerai où vous êtes. Ce serait trop dangereux de retarder le transfert. Si l'artère se rompait, ce serait très grave.

Quelques minutes passent avant que l'ambulance arrive. Sous l'effet du tranquillisant que je lui ai donné, la patiente semble plus calme et moins anxieuse. Elle part enfin pour la neurochirurgie.

Je vais alors retrouver la dame qui a des problèmes digestifs; elle est avec son époux, personnage qui, à première vue, me semble fort sympathique.

— Rebonjour, madame; bonjour, monsieur… Les résultats de vos examens sont excellents : votre estomac n'est que légèrement irrité, le cœur et les autres organes sont en parfaite santé. Ce sera facile de guérir l'estomac.

Les deux affichent un large sourire. Je continue :

— Mais je crois avoir trouvé la cause de vos problèmes.

Je fais une courte pause; leur visage s'affaisse. L'époux, inquiet, me demande :

— Qu'est-ce qu'il y a, docteur?

— Je pense que votre problème, à tous les deux, provient de ce que vous vous séparez de toutes les choses que vous aimez dans la vie. Vous avez vendu votre chalet, vous voulez vendre votre maison et vous envisagez de vivre en foyer pour personnes âgées. Je vous trouve trop bien portants et trop jeunes pour cesser d'avoir du plaisir dans la vie. Je trouve tout ça très mauvais pour votre avenir, car lorsqu'on se débarrasse des choses qu'on aime, c'est qu'on prépare sa mort; et ça, je vous avoue que ça m'embête beaucoup.

L'époux réplique :

— Vous savez, docteur, avec les années, on ne rajeunit pas.

— Je sais, mais ce n'est pas une raison pour cesser de vivre avant la mort.

Les deux me regardent, surpris par ce commentaire.

Je poursuis :

— Vous savez, une vieille Chevrolet Belair dont la suspension est fatiguée et dont le moteur perd un peu d'huile peut tout de même rouler des dizaines de milliers de kilomètres encore et tenir le coup durant des années. Par contre, si on la laisse un seul hiver dehors sans la faire fonctionner, au printemps elle sera finie, ruinée par la rouille, juste bonne pour le recyclage en Honda ou en Toyota.

Les deux me regardent en souriant.

Je prescris un antiacide gastrique pour la dame et, après une poignée de main, les quitte sur ces mots :

— Pensez à ce que je vous ai dit. C'est important, le bonheur!

Tout en me dirigeant vers d'autres patients, j'entends un bout de dialogue entre la dame et son mari :

— Chéri, je t'annonce qu'on va se chercher un condo en Floride. Il paraît que la pêche est extraordinaire là-bas.

— Oui, j'aimerais bien, mais...

— Non, non, mon chéri. Laisse faire les « mais ». Rentrons à la maison, et nous allons discuter de tout ça.

Le patient suivant est un vieux monsieur qui nous est arrivé par ambulance. Il est atteint d'une paralysie subite de tout le côté droit. Il est dans un état d'hygiène lamentable. L'ambulancier me dit :

— Vous auriez dû voir l'appartement, docteur : un fouillis total. Les voisins nous ont alerté parce que ça faisait plus de trois jours que personne n'avait vu cet homme. On ne sait pas grand-chose de son histoire; on a juste ce numéro de téléphone pour joindre son fils. Nous l'avons avisé; il doit venir.

Un examen approfondi à l'aide de tests diagnostiques révèle que ce patient, âgé de quatre-vingt-trois ans, souffre de trois problèmes très graves, soit un accident cérébro-vasculaire, un infarctus du myocarde et une pneumonie.

Malgré le traitement médical, la situation se détériore rapidement et les chances de survie du patient sont minces.

Après quelques heures, je décide d'appeler son fils, dont je n'ai toujours pas eu de nouvelles :

— Bonjour, monsieur. Je suis le médecin de l'urgence. J'aimerais vous aviser que votre père est chez nous et qu'il est très mal en point.

— Qu'est-ce qu'il a comme problème?

— Il a eu un accident cérébro-vasculaire, il a fait une crise cardiaque et il souffre d'une pneumonie. Présentement, il est à l'urgence. Il est très faible, et je ne suis pas certain qu'il va s'en sortir.

— Est-il conscient, au moins?

— Non, à cause de son accident cérébro-vasculaire, il est paralysé de tout le côté droit. La pneumonie et l'infarctus l'ont beaucoup affaibli. Il est comateux, mais il ne souffre pas.

— Alors, réplique le fils, s'il n'est pas conscient, qu'est-ce que cela va donner que j'aille le voir?… Combien de temps pensez-vous qu'il lui reste?

— Je ne sais pas, quelques heures tout au plus.

— Dans ce cas-là, conclut-il, rappelez-moi quand ce sera terminé. J'irai chercher ses effets et je signerai les papiers.

Surpris par cette réponse, et croyant que le fils n'a pas bien saisi la gravité de la situation, je me permets d'insister:

— Vous êtes certain que vous ne voulez pas venir? Il va sûrement mourir… A-t-il d'autres enfants ou d'autre famille que vous?

— Non, non, répond le fils. Il a des frères, mais ça fait des années qu'ils ne se parlent plus.

— Alors, vous devriez peut-être venir…

Avec agacement, il rétorque:

— J'ai horreur des hôpitaux… Rappelez-moi lorsque ce sera fini.

Je fais placer le vieux monsieur dans une petite salle servant à examiner les malades et située au bout d'un corridor adjacent à l'urgence. André, le préposé aux malades, nettoie le vieil homme et prend même le temps de lui faire la barbe.

Comme personne ne vient voir le vieillard, André décide de prendre son heure de dîner pour lui tenir compagnie. Il lui tient la main et lui parle tout doucement de sujets divers, de sa propre famille, de ses enfants, de ses vingt-cinq années de travail comme préposé à l'urgence et de son dernier voyage de pêche. L'homme s'éteint en paix et dans la dignité. Ensuite, André continue sa journée, sans attendre de médaille ni de trophée pour cet acte humanitaire.

Plus tard, le fils passe prendre les vêtements et objets du défunt. Il ne pose pas de questions, ne remercie personne. Un peu plus tard, en me dirigeant vers la cafétéria, je pense: « C'est triste de mourir dans une urgence. La dignité exigerait qu'une vie n'aboutisse pas comme ça. »

Lorsque je retourne au poste, une infirmière me remet le dossier d'une dame de soixante-sept ans qui a passé un examen en cardiologie; elle s'est présentée hier soir pour des problèmes d'essoufflement liés à de l'œdème pulmonaire, signe d'insuffisance cardiaque. Elle éprouve des essoufflements depuis plusieurs années, mais elle n'a jamais consulté de médecin à ce sujet.

Selon le dossier, elle n'a jamais été malade; cependant, elle a fait du rhumatisme articulaire en bas âge. Je m'attarde sur le rapport d'échographie cardiaque, qui révèle une sévère maladie des valves aortique et mitrale.

Je me dirige vers la patiente. Avant même que je me présente, elle me demande en souriant :

— Alors, docteur, la patate est finie?

— Non, mais il va falloir vous opérer.

— Je m'en doutais. Cela fait plusieurs années que je suis de plus en plus essoufflée; je me disais que quelque chose n'allait pas. C'est compliqué, cette opération?

Je lui explique l'intervention chirurgicale, après quoi elle me dit :

— Si j'ai bien compris, c'est une opération à cœur ouvert; on va changer deux valves, un peu comme on change les valves sur un vieux moteur... Vous ne pouvez pas faire cela avec la balloune?

Elle veut dire par là la dilatation à l'aide d'un ballonnet.

— Non, malheureusement, ce n'est pas possible.

— Et les chances de réussite sont bonnes?

— Oui, vos chances sont d'environ...

La patiente m'interrompt alors brusquement :

— Chut, chut, chut, vous me dites que mes chances sont bonnes : c'est tout ce qui compte. Peu m'importe de savoir si elles sont de cinquante ou de soixante-quinze pour cent... Ce qui m'emmerde dans tout ça, c'est que ma cousine et moi devions partir en auto pour la Floride dans deux semaines. Croyez-vous que ce sera possible?

— Non, c'est beaucoup trop tôt. Il faudra compter au moins six semaines de convalescence.

Je lui demande si elle a d'autres questions.

— Non, s'il le faut, je suis prête à foncer. J'en ai vu d'autres.

Surpris, je demande :

— Ah! je croyais pourtant qu'à part le rhumatisme articulaire vous n'aviez jamais eu d'autres maladies…

— Ce n'est pas à une maladie que je faisais allusion, c'est plutôt au destin.

Comme je suis curieux de nature, je lui demande :

— Que vous est-il arrivé?

La dame jette un regard vers la fenêtre, au fond du corridor.

— C'est une longue histoire… Une longue histoire qui s'est bien terminée. C'était il y a plus de quarante ans. Nous avions une belle petite ferme en Gaspésie, au bord de la mer. Nous n'étions pas riches, mais nos quatre enfants étaient en bonne santé. À cette époque, la plus vieille, Louise, avait six ans. Mon mari était un homme très travaillant. L'hiver, il coupait du bois et, l'été, il travaillait à la ferme, mais nous avions tout juste assez d'argent pour subsister. Un jour, nous avons eu l'idée de construire un restaurant en bordure de la route. On a retroussé nos manches et on a bâti le plus beau petit restaurant du coin, avec vue sur le fleuve. Notre spécialité était le poisson et les fruits de mer frais. Moi, je cuisinais, et mon mari servait, « en français seulement, s'il vous plaît » (elle dit cela en souriant), car on ne parlait pas un traître mot d'anglais. Mais les Américains et les Ontariens ont eu vite fait de nous comprendre : le langage de l'estomac, c'est international, docteur; la bonne bouffe, ça n'a pas de langue. Les enfants, c'était ma vieille mère qui les gardait.

Elle reprend son souffle, et moi, je m'appuie sur le mur en continuant de l'observer.

— Le poisson, c'était facile de s'en procurer, dans ce temps-là, car du poisson, il y en avait à la tonne. Et Georges, le frère de Paul — Paul, c'était mon mari — Georges était pêcheur. Alors, nos arrivages étaient toujours frais du jour. Vous savez, docteur, la différence qu'il y a entre le poisson frais et le vieux, je veux dire le moins frais?

D'un signe de la tête, je lui indique que je l'ignore.

— C'est normal, vous êtes de la ville. Les gens de la ville ne connaissent pas ça, le poisson frais. Eh bien, docteur, le poisson frais, ça sent bon; ça ne sent pas le poisson, ni la friture, ni les frites, ni les hamburgers. Le poisson frais, ça sent la mer. Vous comprenez?

— Oh! oui, dis-je avec un sourire en pensant au menu de notre cafétéria.

— Vous auriez dû voir les touristes américains se régaler de langues de morue frites, de foie de morue frais, de filets de flétan sauce au beurre et au citron, de homards et de tourtières aux fruits de mer. Pour le dessert, je faisais des tartes aux fraises des champs, aux bleuets et au sucre. Le restaurant n'était ouvert que l'été. L'hiver, j'expérimentais de nouvelles recettes, et Paul n'en finissait plus de faire des améliorations et des agrandissements au restaurant. Mais, par une chaude soirée de juillet, notre beau rêve s'est effondré brusquement. Paul a eu un anévrisme au cerveau; il a perdu conscience le 20 juillet 1959 et ne s'est jamais réveillé. Il a été opéré au cerveau, mais il est demeuré dans un coma profond pendant des mois, avant de mourir en décembre 1959.

À cette époque, les traitements n'étaient pas payés par l'État, et les coûts des soins s'élevaient à plusieurs dizaines de milliers de dollars. Pour moi, la somme était colossale. Comme je n'avais pas les moyens de payer, la ferme et le restaurant ont été saisis et, à quelques jours d'avis, nous avons dû quitter la maison. C'était la vraie misère.

Je la fixe sans parler, fasciné par son récit.

Elle réfléchit un moment puis, avec de l'émotion dans la voix, elle continue :

— Mon beau-frère Georges avait un camion. Il nous a déménagés à Montréal, dans le quartier de Verdun, où ma cousine m'avait trouvé un petit appartement de quatre pièces pas trop cher. Les grands champs de luzerne et de fleurs sauvages surplombant la mer avaient fait place à une ruelle encombrée, où les rayons de soleil, été comme hiver, servaient à sécher le linge suspendu entre les balcons. Les vagues qui rugissent contre les caps de Gaspésie avaient été étouffées par le bruit des sirènes de police ou les engueulades des voisins. L'exil a été difficile au début pour les enfants, car j'ai trouvé un emploi dans une manufacture de vêtements et je travaillais six jours par semaine, alors je ne les voyais pas beaucoup. Le soir, je rentrais épuisée, j'aidais les enfants à faire leurs devoirs, je préparais les repas du lendemain, et nous nous couchions tôt.

Une courte pause, puis la dame continue son récit:

— Heureusement, dans ce coin de la ville, il était facile de se trouver de bonnes amies, car le quartier abritait beaucoup de gens de la campagne qui, comme nous, avaient dû s'exiler. Il y avait aussi des immigrants qui étaient venus ici dans l'espoir de mieux vivre. Nous avions tous nos petits drames personnels que le destin avait semés sur notre chemin.

Elle s'interrompt de nouveau, et j'en profite pour lui demander:

— Cette époque a été très pénible pour vous. Vous n'avez jamais cédé au découragement? Vous n'avez jamais fait de dépression?

Elle me répond avec cette lueur dans les yeux que seuls les vainqueurs, les gagnants possèdent:

— Si vous saviez! J'étais tellement occupée à élever mes enfants et à travailler, je n'avais pas le temps de tomber malade!… Aujourd'hui, tous mes enfants sont bien placés, ils ont de bons emplois, j'ai neuf petits-enfants en santé. Aujourd'hui, j'ai du temps pour la maladie.

— C'est une bien belle histoire, madame, et je m'en souviendrai. Elle devrait servir d'exemple aux autres.

À ce moment, elle me tend une enveloppe et me dit:

— Ouvrez-la, docteur, je veux que vous lisiez cette lettre et que vous la mettiez dans mon dossier.

J'ouvre le document et lis ce qui suit:

Testament de fin de vie

Je soussigné(e)_____, résidant(e) au Québec, désire qu'advenant le cas où je ne serais plus en état de prendre part aux décisions concernant mes traitements de fin de vie, que les directives ci-dessous soient considérées comme l'expression formelle de ma volonté.

Si un rétablissement suffisant de mes capacités physiques et mentales était impossible, je demande qu'on ne me maintienne pas en vie par des moyens artificiels et disproportionnés. Je demande également que des médicaments appropriés me soient donnés pour soulager efficacement mes douleurs même si cela devait hâter l'instant de ma mort, afin de me réserver une mort douce et naturelle.

Aussi ces directives sont données à mes proches, y compris à mon mandataire, après mûre réflexion et en pleine lucidité. Je voudrais que mes proches y compris mon mandataire se sentent moralement obligés de les suivre.

Date : _____

_____   _____
Témoin   Témoin

— Si ça va mal, je tiens à décider moi-même de mes traitements. Je ne veux surtout pas donner cette responsabilité à mes enfants.

— C'est bien d'avoir fait ce document mais, ne vous inquiétez pas, vous serez en Floride pour le mois de mars.

— J'y compte bien.

L'opération s'est déroulée sans complication, et la dame a reçu son congé quelques jours seulement après sa chirurgie.

Un mois plus tard, je la croise dans le corridor d'une clinique externe où elle venait pour sa visite de contrôle en cardiologie. Après les salutations et informations habituelles, elle me dit :

— L'autre jour, je vous ai menti, docteur.

— Ah!… Comment ça?

— Quand vous m'avez demandé si parfois j'avais cédé au découragement, je vous ai dit que non, mais c'était faux. Ça m'est arrivé souvent de me décourager.

— C'était tout à fait normal dans la situation où vous étiez.

— Parfois, le soir, je pleurais, je me sentais abattue. Alors, je priais en demandant à mon mari Paul de me donner la force de passer au travers. Et, rapidement, je m'endormais en pensant à lui et aux bons moments que nous avions vécus à la campagne. Le lendemain, je me relevais, j'étais en grande forme pour attaquer la journée. C'est ce que j'ai fait aussi pour supporter l'opération.

Elle m'accroche par mon sarrau, me donne une bise sur la joue et conclut en souriant:

— La semaine prochaine, ma cousine et moi, on part pour la Floride.

L'histoire de cette dame n'est pas unique. Comme elle le dit elle-même, nous avons tous nos drames, que le destin sème sur notre route. Face aux épreuves, nous pouvons nous laisser aller psychologiquement et physiquement; nous pouvons ruminer nos malheurs, traîner notre passé comme un boulet et laisser les mauvais souvenirs ruiner notre existence.

Pourtant, comme Victor Hugo l'a si bien écrit: «Les plus belles années de notre vie sont celles qu'il nous reste à vivre.»

Les patients en attente d'une chirurgie

En mars 1999, dans la région de Montréal, il y avait :
— 7 008 patients qui attendaient une chirurgie pour la cataracte;
— 414 patients qui attendaient une chirurgie cardiaque;
— 957 patients qui attendaient une chirurgie orthopédique de la hanche ou du genou;
— 59 patients qui attendaient une chirurgie pour une tumeur cérébrale.

L'opération d'une cataracte coûte de 1 000 $ à 2 500 $ à la société; ce coût inclut tous les frais, médicaux et autres. Le temps d'hospitalisation est d'une durée de moins de vingt-quatre heures; les complications sont rares et souvent banales.

Une chirurgie à la hanche coûte entre 10 000 $ à 50 000 $ à la société. Les complications sont fréquentes, et la mortalité associée à cette chirurgie peut aller de dix à vingt-cinq pour cent, selon les cas. La durée de l'hospitalisation varie de quatorze à soixante jours. Souvent, malgré toutes les interventions médicales, la personne âgée ne récupérera pas complètement ses capacités fonctionnelles antérieures et perdra son autonomie. Elle devra être placée en centre d'accueil pour le reste de ses jours.

Il y a donc ici un double drame : le premier, le plus important, est le drame humain; le second est le drame des coûts engendrés par un accident potentiellement évitable.

Les défis de la démographie

Dans notre pays :
— Le taux de natalité est d'environ 1,2 bébé par famille; c'est l'un des plus bas au monde.

— En 1998, l'espérance de vie était de soixante-seize ans pour les hommes et de quatre-vingt-trois ans pour les femmes. Selon les statistiques de croissance démographique, d'ici une quinzaine d'années, les hommes vivront en moyenne quatre-vingts ans et les femmes, quatre-vingt-sept ans.

— L'État et les instances administratives prônent la retraite en bas âge. Ainsi, l'âge de la retraite est passé successivement de soixante-huit à soixante-cinq ans, et il sera bientôt fixé à soixante ans pour tous. Mais beaucoup de travailleurs et de travailleuses sont déjà admissibles à une préretraite dès l'âge de cinquante-cinq ans, et même avant.

— Les coûts des soins de santé dispensés aux gens âgés ont augmenté de seize pour cent depuis 1990. De plus, les statistiques émises par la Direction de la santé publique indiquent que la courbe des coûts de santé pour le groupe d'âge de soixante-quinze ans et plus croît de façon exponentielle et que les coûts par individu pour les personnes âgées de quatre-vingt-cinq ans et plus sont dix fois plus élevés que pour la moyenne générale de la population.

— Le nombre de personnes âgées de soixante-quinze ans ou plus qui se sont retrouvées sur une civière à l'urgence est un indicateur intéressant à surveiller. Il a en effet augmenté de cinq pour cent en un an seulement, de 1996 à 1997, alors que, paradoxalement, on observait une diminution de un et demi pour cent de l'ensemble de la clientèle.

— Les personnes âgées de soixante-quinze ans et plus présentent des problèmes complexes plus souvent que les autres clientèles, et il faut en général plus de temps pour prendre les décisions médicales à leur sujet. En outre, ces personnes se rétablissent beaucoup moins rapidement d'une maladie ou d'une opération.

Ces indicateurs démontrent hors de tout doute que, « si la tendance actuelle se maintient », dans quelques années la masse de travailleurs actifs ne pourra plus supporter les coûts engendrés par les programmes de retraite ni les coûts des soins liés au vieillissement de la population.

La solution est simple : il faut vivre le plus long-temps possible en bonne santé. Il est prouvé que les gens qui restent bien portants jusque dans leurs vieux jours sont ceux qui, lorsqu'ils tombent malades, souffrent le moins et le moins longtemps ; ils ne sont généralement pas affligés d'une maladie chronique débilitante néces-sitant de longues années d'hospitalisation.

Les études démontrent que les gens qui ont le plus de chances de vivre vieux et en bonne santé sont ceux qui continuent d'avoir des projets et des activités phy-siques, qui ont une saine alimentation, qui évitent de prendre un excès de poids, qui ne fument pas, qui colla-borent aux programmes de dépistage (cancers du sein, de l'intestin et de la prostate) et qui participent aux traitements préventifs contre l'ostéoporose, le cholesté-rol et l'hypertension artérielle.

Ce sont eux qui mourront rapidement et sans souffrir à quatre-vingt-dix ans, en faisant jusqu'à la dernière minute toutes les activités qui les intéressent. N'est-ce pas là notre désir à tous ?

La médecine moderne peut garder une personne en vie pendant de très longues périodes dans des unités de soins intensifs, où les médecins ont la possibilité de main-tenir les organes vitaux en fonction, même si la maladie de base du malade est irrémédiable et irréversible. Cela peut parfois mener à de l'acharnement thérapeutique et occasionner des souffrances inutiles aux malades.

Aussi, je crois que nous devrions tous rédiger notre testament de fin de vie (voir l'exemple de la dame, à la page 218). Ce document nous permet d'avoir le dernier mot dans la prise de décision ultime face à notre vie, lorsque la maladie risque par exemple de laisser des séquelles très graves sur le plan des facultés tant mentales que physiques. Il permet aussi que soient donnés des médicaments pour soulager efficacement la douleur, même si cela devait accélérer la mort. Car la souffrance et l'angoisse prolongent souvent la vie d'un grand malade. De plus, il évite de laisser la décision aux enfants ou à la famille. Cette décision est souvent difficile à prendre pour les proches; elle arrive à un moment où les charges émotives sont nombreuses et lourdes, et elle peut engendrer de la culpabilité, de la frustration et le sentiment erroné de ne pas avoir tout fait dans une situation médicale donnée.

Ainsi, le testament de fin de vie nous permet de décider de notre intégrité physique et mentale, et d'avoir accès à une mort douce et naturelle.

Chapitre 5

Le temps des fêtes

Nous sommes à deux jours de Noël. Ce matin, la situation est toujours la même : les corridors sont bondés de malades allongés sur des civières collées les unes aux autres, et la salle d'attente regorge de patients qui s'impatientent. Et moi, encore une fois, je commence ma journée du mauvais pied ; mauvais sommeil, trop de fatigue, difficulté à récupérer... Je broie du noir à la pensée qu'encore cette année je travaille à Noël.

Les cadeaux de Noël ne sont toujours pas achetés ; pire, je n'ai aucune idée de l'endroit où je vais trouver la dernière Barbie à la robe rose et les *Pollypockets* ou la vidéo des *Rasemokets* pour Amélie ; la photo de Leonardo et les plus récentes cassettes des Spice Girls et des Back Street Boys pour Emanuelle.

Amélie et Emanuelle sont mes deux adorables nièces.

La première malade que je vois est une fillette de deux ans, Marie-Soleil ; elle est mignonne et toute petite pour son âge.

Sa mère l'a amenée à l'urgence parce qu'elle ne s'alimente plus depuis trois jours. La femme est jeune — dix-huit ou dix-neuf ans tout au plus; elle me semble exténuée et impatiente.

L'examen sommaire de l'enfant ne montre rien d'anormal; j'explique à la jeune mère que sa fille souffre probablement d'une gastroentérite et qu'il faudra lui faire suivre une diète en conséquence; dans un ou deux jours, la situation devrait être redevenue tout à fait normale.

La jeune femme, insatisfaite de mon diagnostic, me dit :

— Non, moi, je trouve qu'elle est très malade; j'aimerais mieux que vous la gardiez à l'hôpital.

— Je ne crois pas que ce soit nécessaire… Pas pour le moment, en tout cas.

La mère hausse le ton et réplique nerveusement :

— Écoutez, je vous dis qu'elle est malade. Je ne sais plus quoi faire, je veux que vous la gardiez quelques jours. Vous verrez bien qu'elle a un problème!

Au même moment, l'enfant se met à pleurer. La mère me regarde, et ses lèvres tremblent. Je sens chez elle l'imminence d'une crise de nerfs.

— D'accord, d'accord. Si vous insistez, nous allons la garder quelques jours en pédiatrie.

Je préfère finalement garder la fillette plutôt que de la laisser à sa mère, qui me semble au bord de l'épuisement. Je lui demande :

— Avez-vous de l'aide à la maison?

Elle me répond négativement d'un signe de la tête, les yeux pleins de larmes; les bras croisés, elle regarde sa fille pleurer sans tenter de l'apaiser.

— Voulez-vous que je demande l'aide du service social?

— Non, je vais m'arranger seule.

— C'est bon, allez ouvrir son dossier, je vais m'occuper de Marie-Soleil en attendant.

Je prends la fillette dans mes bras, tente de la calmer un peu; la puce se débat de plus belle et lance des cris encore plus stridents. Je sors de la salle d'examen et marche vers le poste central. Nicole, l'infirmière, qui a l'habitude de me taquiner, me dit :

— Eh bien, docteur Patenaude, vous n'avez pas le tour avec les femmes, ce matin!

— Ben voyons donc, elle est tout à fait heureuse, la petite Marie-Soleil, blottie dans mes bras; elle ne pleure pas, c'est juste une future Céline Dion qui fait des vocalises.

Nicole tend les bras à la fillette, qui tend aussitôt les siens vers Nicole. Cette dernière reprend :

— Eh bien, il faut croire que vous n'avez pas les talents de René Angélil…

Je lui remets Marie-Soleil, et la fillette arrête de pleurer au même instant. La petite se retourne et, en plissant les paupières, elle tente de me faire des yeux méchants comme ceux du bébé roi lion dans le film.

Les infirmières rient. Je réplique :

— Pur hasard…

Et je reviens vers la petite, les bras grands ouverts.

— Regardez, vous allez voir qu'elle m'aime beaucoup.

Les bras toujours tendus, je dis à la fillette :

— Marie-Soleil, viens voir mon oncle Robert.

La petite pousse un cri strident, se retourne vers Nicole et cache son petit visage mouillé de larmes dans la chaleur de la poitrine de l'infirmière.

Tout le monde éclate de rire de nouveau.

Je remplis le dossier, puis discute du cas avec le pédiatre de garde, qui me dit :

— En somme, c'est un cas de *dumping* du temps des fêtes.

— Non, pas tout à fait. La jeune mère semble exténuée et dépassée par les événements; il vaut mieux que nous gardions la fillette quelques jours afin que la mère se repose un peu.

La mère revient après avoir accompli les formalités. André, le préposé, accompagne la mère et l'enfant à l'étage de pédiatrie. Juste avant de partir, Marie-Soleil me fait un beau sourire et me lance un baiser qu'elle souffle vers moi du creux de sa main.

— Oh! font les infirmières.

— Vous voyez, même quand elles sont toutes petites, dis-je.

Toutes me crient :

— Sexiste, macho!

— OK. OK. Un à zéro pour vous.

Je demande à André, en lui donnant un billet de dix dollars :

— En revenant, peux-tu rapporter des beignes et du café pour tout le monde?

Le patient suivant est un vieux monsieur de quatre-vingt-sept ans que la famille a envoyé en ambulance. Il est vêtu d'un pyjama bleu et de pantoufles en acrylique brunes avec des rayures orangées. Assis sur le bord de la civière, la main droite appuyée sur sa valise, il regarde le va-et-vient qui l'entoure.

Je parcours rapidement son dossier. Selon la note de l'infirmière responsable du triage, la famille l'a envoyé à l'urgence parce que le vieil homme n'est plus capable d'uriner et qu'il ne mange pas depuis quelques jours. Il a des antécédents de maladie de Parkinson et souffre d'une profonde surdité.

Je m'approche de lui :

— Bonjour, monsieur. Qu'est-ce qui ne va pas? Pourquoi êtes-vous ici?

Il me répond d'une voix tremblante :

— Merci, merci. Joyeux Noël à votre famille aussi!

Je me dis : «Bon, bon, bon! Ce ne sera pas facile!» Je m'approche de son oreille et lui répète ma question en haussant la voix. Cette fois, il me répond :

— C'est vrai, l'hiver n'est pas chaud. Et bonne année à vous aussi!

Il est complètement sourd. Je l'observe; il ne semble pas souffrir. Je le prie de s'étendre sur la civière et je le soumets à un examen, qui ne révèle rien d'anormal pour un homme de cet âge.

Je retourne au poste et demande à l'infirmière de lui faire des prises de sang, puis je remplis le dossier. Ces tests de dépistage m'assureront que je ne passe pas à côté d'une maladie quelconque.

J'appelle sa famille. Pas de réponse. Alors je laisse un message sur le répondeur. Sans doute que les siens sont déjà en route pour l'hôpital.

Puis je consacre le reste de l'avant-midi à voir plusieurs autres petits cas : grippes, maux de dos, otites chez des enfants, etc.

Vers onze heures, je reçois un appel de mon ami Jean-François, le neurochirurgien à qui j'ai transféré une jeune femme présentant un saignement cérébral quelques jours plus tôt. Il me dit que l'opération s'est bien déroulée.

— Ça n'a pas été facile, mon vieux! C'était une bulle de sang grosse comme un œuf, prête à éclater à tout moment, une vraie charge explosive. Mais la patiente va s'en sortir sans séquelles.

— Fantastique! Ça fait du bien, une bonne nouvelle comme celle-là.

Vers onze heures trente, j'ai tous les résultats des tests que mon vieux monsieur a passés; comme je m'y attendais, tous les tests sont normaux. La famille ne s'est pas montré le bout du nez et, bien sûr, elle ne m'a pas rappelé.

Je discute du cas avec Guy, notre travailleur social, afin qu'il éclaircisse cette situation.

Je profite d'une accalmie pour aller manger.

Je me dirige vers la cafétéria, la tête pleine de pensées négatives au sujet de l'horaire de garde de la période des fêtes. En dix ans, je n'ai jamais eu congé pendant cette période.

Je me dis : « Bof! oublions ça. Comme chaque année, ça va passer vite. »

Heureusement, aujourd'hui, nous devrions commencer à avoir le menu spécial du temps des fêtes à la cafétéria. Je vais manger autre chose que les sempiternels muffins et cette soupe aux étoiles qui n'a rien de céleste.

Chaque année, les administrateurs accordent un peu de liberté et de crédits pour que les cuisiniers dépassent leurs limites habituelles et préparent le menu des fêtes : tourtières, dinde, ragoût de boulettes et, comme dessert, la tradition-nelle bûche de Noël. Ce n'est peut-être pas le Pérou, mais les cuisiniers réussissent très bien ces plats. Et, comme répétait ma grand-mère, « bien manger, ça change le mal de place ».

Je prends place dans la file d'attente et je regarde le menu :

Entrée
Soupe porc et étoiles

Plats principaux
Steak haché et sauce brune aux oignons
Pizza toute garnie
Légumes d'accompagnement : patates en purée et petits pois

Desserts
Pudding au tapioca
Jello aux fraises
Muffins variés

BONNE JOURNÉE!

Je demande à Louis, qui est juste devant moi :

— Dis donc, Louis, que se passe-t-il? Ce n'est pas le menu des fêtes?

Louis se retourne. C'est le plus grand et le plus gros des agents de sécurité de l'hôpital : il mesure six pieds six pouces et doit sûrement peser cent quatre-vingts kilos. Il répond :

— Non, cette année, à cause des compressions, le menu des fêtes, on l'aura uniquement le jour de Noël.

Extrêmement déçu, je sacre en moi-même un bon coup. J'en veux aux compressions, j'en veux aux administrateurs, j'en veux au monde entier.

Mon tour approche, et voilà que je me mets à hésiter. Qu'arrive-t-il? Est-ce que mes papilles gustatives dépriment? Sont-elles en état de surmenage professionnel ou atteintes du syndrome de la fatigue chronique? Je ne sais pas quoi choisir et, encore une fois, la Française qui sert les plats m'attend de pied ferme. La spatule pointée vers moi, elle demande :

— Et pour vous?

Rapidement, je jette un coup d'œil sur ce que Louis a choisi : deux pointes de pizza avec des patates en purée et des petits pois. Ce mélange d'aliments me semble incompatible avec la survie de notre espèce, mais peut-être est-ce un élément nécessaire à la sélection naturelle. De la même façon que nous savons que quelques humains sont plus résistants que d'autres à la radioactivité et qu'ils survivraient à une attaque atomique, quelques-uns doivent nécessairement être plus résistants à cette guerre alimentaire que nous fait la cafétéria.

Ou peut-être les cafétérias des hôpitaux sont-elles des centres d'études expérimentales sur les effets de la mauvaise alimentation? Cela expliquerait tout!

— Monsieur a choisi? me demande la Française sur son ton habituel, c'est-à-dire celui de l'impatience.

— … Moui…

Je fais une pause. La Française me dévisage, sa spatule maintenant pointée vers le ciel. Je demande :

— Ça ne devait pas être le dîner de Noël, aujourd'hui?

Son impatience cède la place à la consternation.

— Mais enfin, vous fêtez Noël quand, chez vous?

Et, sans me laisser le temps de répondre, elle ajoute :

— Aujourd'hui, c'est le 23. Noël, c'est dans deux jours. Alors 1 et 1 font 2 : le dîner de Noël, c'est dans deux jours. Vous reviendrez dans deux jours si vous voulez manger de la tourtière et du ragoût de pattes de cochon.

Cette dame est extraordinaire! Elle me permet de mieux accepter ma vie de célibataire. Lorsqu'il m'arrive d'être déprimé, je n'ai qu'à penser à elle, et tout s'arrange; mon amertume s'évapore comme par enchantement.

— Bon, bon, ne vous fâchez pas! L'an dernier, le dîner des fêtes, ça commençait deux jours avant Noël. Je croyais que...

Elle me coupe la parole :

— L'an dernier, c'était l'an dernier, et cette année, c'est cette année; les choses et les compressions changent avec les années.

Ça ne vaut pas la peine de discuter. De toute façon, il y a des choses qui ne changent pas. L'an dernier, je travaillais à Noël; cette année, je travaille encore à Noël; l'année prochaine, je travaillerai sûrement encore à Noël.

— Donnez-moi... excusez... servez-moi une soupe aux étoiles, un muffin à n'importe quoi et un grand café... Dans une boîte, s'il vous plaît, je dois retourner à l'urgence.

En servant la soupe, elle me dit :

— Des muffins à n'importe quoi, on n'en sert pas ici; il en reste au son et aux raisins. Ça vous va?

— Oui, oui, ça va être parfait... Mais, dans deux jours, je me reprendrai avec le dîner de Noël.

Je me dirige vers la caisse enregistreuse, quand la cliente qui est juste derrière moi m'interpelle. Je me retourne, je suis face à une jeune femme dans le début de la trentaine; elle a le teint pâle, de grands yeux noisette pétillants de vie, et ses cheveux châtain foncé sont coiffés vers l'arrière, ce qui dégage son front. Elle me rappelle le personnage de Blanche-Neige dans le film de Walt Disney.

La jeune femme marche avec des béquilles; elle est accompagnée de son mari, qui tient un plateau sur lequel il y a deux soupes et deux pointes de pizza.

Étonné, je lui demande :

— Je vous connais?

— Vous ne vous souvenez pas? dit-elle en souriant. On s'est rencontrés une nuit d'octobre.

Maintenant mal à l'aise, je promène rapidement mon regard entre elle et son mari.

— Euh… euh, non, je ne crois pas vous connaître. Vous vous êtes trompée de personne ou de médecin, peut-être…

À son tour, le mari sourit.

— Bonjour, docteur Patenaude. Vous ne vous souvenez vraiment pas de nous?

Je suis de plus en plus perplexe.

— Je m'excuse, mais, voyez-vous, avec le nombre de patients que je rencontre, j'ai parfois des trous de mémoire.

L'homme reprend alors la parole :

— Un matin d'octobre ma femme a eu un accident de voiture en allant travailler. C'est vous qui l'avez reçue à l'urgence. Vous l'avez transférée dans un hôpital universitaire pour des chirurgies au thorax, au cerveau et en orthopédie.

Tout en tenant ma boîte, je dévisage l'époux, puis la jeune femme.

— Mais oui, oui, maintenant je vous reconnais : vous êtes cette jeune mère de deux enfants qui avait eu un si grave accident de voiture! C'est un camion qui avait heurté votre voiture de plein fouet.

— Oui, oui, acquiesce vivement la jeune femme. Je m'appelle Julie.

Je les regarde : ils sont tous deux souriants, Julie avance lentement à l'aide de ses béquilles. Je les accompagne à une table et dis à la jeune femme :

— Merveilleux! Vous avez l'air de vous en sortir très bien.

Je m'assois quelques minutes avec eux, et Julie me raconte ses longues semaines d'hospitalisation, ses nombreuses chirurgies et ses traitements quotidiens de physiothérapie à l'hôpital.

— C'est dur mais, de semaine en semaine, je redeviens plus forte. C'est ça qui compte.

Le mari ajoute, en plaçant la soupe fumante devant sa jeune épouse :

— On revient de loin!

Julie esquisse un sourire moqueur en regardant la soupe et dit :

— Heureusement qu'il y a la soupe aux étoiles pour nous donner des forces!

Nous rions, discutons un instant de la nourriture de la cafétéria, des difficultés financières et des compressions dans les hôpitaux. Je me lève après quelques minutes.

— Excusez-moi, mais je dois retourner à l'urgence. Je suis bien content de vous avoir rencontrés.

— Merci pour tout, dit Julie avec chaleur.

Je me dirige vers l'urgence, tout heureux. C'est une bonne journée, en fin de compte; j'ai reçu deux excellentes nouvelles de suite. Ça fait chaud au cœur de voir des gens qui ont triomphé d'une si rude épreuve et de savoir qu'on a participé à leur lutte.

Au détour d'un corridor, j'arrive face à face avec le docteur Picotte, qui me ramène vite à la réalité du quotidien.

— Docteur Patenaude, justement c'est vous que je cherchais. Croyez-vous pouvoir congédier des patients alités dans les corridors? Pendant les vacances des fêtes, nous fermons vingt-cinq lits supplémentaires.

En ralentissant le pas, mais sans m'arrêter, je me retourne et marche à reculons avec ma boîte dans les mains.

— Quoi?! Vous fermez vingt-cinq lits supplémentaires?!!

— Eh oui! Que voulez-vous, budget oblige… Nous avons décidé ça hier soir.

— Alors, en effet, j'aurai sûrement beaucoup de congés à donner.

Le docteur Picotte fait un large sourire. On dirait un éléphant devant une banane ou un ministre de la Voirie inaugurant un tronçon d'autoroute.

— Bon, je suis content de savoir ça!

— Excusez-moi, mais je suis pressé. On m'attend en bas.

— Allez vite à l'urgence, il y a une belle surprise qui vous attend.

Je me méfie toujours un peu des surprises.

— Qu'est-ce que c'est?

— Je ne dis rien! Vous verrez, vous serez agréablement surpris par cette initiative de notre directeur général.

— Ah bon!…

— Allez en paix, et joyeuses fêtes! Si on ne se revoit pas, je vous souhaite une bonne année, de la santé et beaucoup de succès dans vos amours.

— À vous aussi, dis-je sèchement.

En accélérant le pas, je l'entends qui récite :

— Que la force soit avec vous pendant les fêtes.

Ce dernier passage me fait rire intérieurement. Je me dis que je l'ai bien eu, car je ne sais pas du tout s'il y a effectivement des patients à congédier. Mais ça lui a fait plaisir de croire qu'il a un certain contrôle sur moi… et c'est une bonne façon de lui clouer le bec et d'avoir la paix.

Puis je me demande si, au fond, ce n'est pas moi qui me suis fait avoir.

C'est tout de même une bizarre façon d'administrer que de fermer vingt-cinq lits supplémentaires! C'est ça qu'on appelle de la bonne gestion? Fermer des lits pendant la période des fêtes, cela implique automatiquement qu'il y aura plus de malades qui séjourneront dans les corridors à Noël et au jour de l'An.

Quelle brillante manière de fêter! D'autant plus que cette situation va mettre plus de pression sur le personnel de l'urgence et, par conséquent, entraîner une détérioration de l'atmosphère de travail.

En arrivant dans le corridor de l'urgence, j'ai en effet toute une surprise : j'aperçois l'infirmière-chef de l'hôpital, déguisée en fée des étoiles, et accompagnée du directeur de l'hôpital, déguisé en père Noël, lui-même suivi du directeur des services professionnels, qui a eu la flamboyante idée de se déguiser en lutin.

Le père Noël et la fée des étoiles distribuent des cadeaux aux malades couchés sur les civières, pendant que le lutin pousse le chariot. Ils leur remettent les cadeaux en compatissant avec eux et en leur souhaitant un prompt rétablissement.

— Joyeux Noël et bonne année! dit le père Noël. Guérissez vite. Pour l'année qui vient, je vous souhaite beaucoup de santé.

Un vieux malade, pas si con, lui demande de sa civière:

— Monsieur le directeur, c'est bien beau les cadeaux, mais quand est-ce que je vais avoir une chambre?

Le directeur, embarrassé, répond:

— Très bientôt! Vous savez, c'est une période difficile: il y a beaucoup de malades pendant le temps des fêtes. Mais, ne vous inquiétez pas, nos médecins travaillent pour vous faire une place dans l'hôpital le plus vite possible.

En moi-même, je me dis: «Ah! bon, c'est à ça qu'on sert, nous, les médecins: à faire des places pour les malades. Je croyais que notre rôle était de guérir.»

La fée des étoiles acquiesce aux propos du père Noël avec un sourire béat tout en remettant une petite boîte de chocolats au vieux monsieur.

Je m'approche du convoi. Lorsque je me trouve près du directeur, je dis, juste assez haut pour que les patients les plus proches entendent:

— Bonjour, père Noël! N'oubliez pas d'annoncer aux malades qu'il y aura une fermeture de vingt-cinq lits supplémentaires pendant les fêtes. Et que, par conséquent, une bonne partie d'entre eux passeront Noël ici, en famille!

Et, en le narguant, j'ajoute:

— Vous devriez leur souhaiter aussi beaucoup de patience.

Je devine son sourire confus, bien caché derrière sa barbe.

— Ne vous inquiétez pas, docteur Patenaude, nous avons la situation bien en main; notre coordonnateur, le docteur Picotte, y travaille. Tout va s'arranger très bientôt.

— Comme je suis heureux d'entendre ça! dis-je. C'est rassurant, parce que je travaille à Noël et que j'espère que la situation sera rétablie d'ici là.

Lorsqu'il met fin à notre dialogue, le père Noël a le ton rassurant d'un grand-père ou d'un premier ministre:

— Ne vous inquiétez pas, docteur Patenaude. Nous avons la situation bien en main. Joyeux Noël!

En m'éloignant, je pense : « Quelle absurdité : les patrons qui se déguisent en père Noël, en fée des étoiles et en petit lutin vert ! Ils sentent les boules à mites, mais ce sont vraiment de fins politiciens ; des fonctionnaires qui n'aspirent qu'à avoir un bon dossier au gouvernement afin d'obtenir un jour un poste plus élevé dans le système de la santé. Il y a d'ailleurs de plus en plus de ces fonctionnaires, dans le système.

« La santé des gens, la qualité des soins, la majorité de ces fonctionnaires ne s'en préoccupent pas outre mesure, à condition, bien sûr, que leur hôpital ne soit pas éclaboussé par une bavure qui fera la manchette et qui, de surcroît, sera portée à l'attention du ministre.

« Mais, de toute façon, lorsque cela se produit, ils sont généralement les premiers à accuser les infirmières et les médecins de toutes les fautes médicales possibles et imaginables. C'est leur façon de s'en laver les mains, de sauver les meubles. »

J'entends la fée des étoiles offrir une boîte de chocolats à une vieille dame, qui dit :

— Je ne peux pas manger de chocolat, je suis diabétique.

La fée lui répond :

— Ce n'est pas grave ! Une petite gâterie de temps en temps, ça fait du bien, ça remonte le moral.

— Vous croyez ? demande la vieille dame, sceptique.

J'arrive finalement au poste. Sans doute poussée par l'instinct de survie, ma main gauche s'insinue dans la boîte qui contient mon repas et déballe le festin comme si elle était rescapée d'un camp de réfugiés, pendant que ma main droite rédige les dossiers médicaux des malades. Rapidement, le repas est terminé. À la dernière gorgée de café, il me vient une étrange pensée : « Qu'est-ce que ça goûtait ? Et que voulait dire Picotte quand il m'a lancé : "Que la force soit avec vous" ? »

Les ambulanciers arrivent tout à coup avec un schizophrène soigneusement ficelé sur une civière. Le malade est en crise psychotique aiguë; il a des hallucinations religieuses : la voix de Jésus lui aurait dit de se jeter dans la piscine municipale pour se purifier. Il s'est déshabillé et, nu comme un ver, il a sauté les pieds devant dans la partie profonde de la piscine, qui avait été vidée pour l'hiver.

Le malheureux a atterri sur une mince couche de glace recouvrant un demi-mètre d'eau. Il souffre d'hypothermie légère, il a probablement les deux chevilles fracturées et il est couvert de lacérations mineures. De plus, je le répète, il est profondément psychotique; et son dossier indique qu'il ne prend ses médicaments que de façon sporadique.

Je prescris des solutés intraveineux réchauffés et je donne au patient les médicaments nécessaires pour le calmer; j'entre ensuite en contact avec l'orthopédiste, car le malade devra sûrement être opéré, et avec le psychiatre, pour le suivi de son état psychiatrique.

Depuis quelques années, nous voyons beaucoup de ces cas majeurs de psychiatrie à l'urgence, conséquence de la décision de sortir les malades psychiatriques des hôpitaux, de ne plus les garder comme autrefois dans les unités psychiatriques.

Ce fut sans doute une très bonne décision, qui a permis à plusieurs malades de jouir d'une certaine liberté et d'avoir une qualité de vie à l'extérieur des murs des hôpitaux.

Cependant, l'encadrement de ces malades est souvent déficient à plusieurs points de vue, et ils sont trop laissés à eux-mêmes. Or, leurs capacités à assumer leur autonomie étant limitées, ils ont absolument besoin d'encadrement pour gérer leurs prestations d'aide sociale, leur logement et l'ingestion de leurs médicaments. Par exemple, ces malades rechutent souvent, faute de prendre les doses adéquates de médicaments chaque jour ou parce qu'ils oublient complètement d'aller chercher leur prescription mensuelle à la pharmacie.

Cette situation s'est d'ailleurs aggravée depuis que le gouvernement a décidé de faire payer une partie des coûts des médicaments aux malades, et nous avons vu une nette augmentation du nombre des consultations à l'urgence. Lorsqu'ils rechutent, ces malades peuvent être très dangereux pour eux-mêmes ou pour autrui. Ainsi, un cas étrangement semblable au cas présent s'est produit récemment. Un jeune schizophrène en état de psychose aiguë s'est jeté tête première dans le fond d'une piscine, poussé lui aussi par des voix intérieures. Il s'est rompu la moelle épinière au niveau de la colonne cervicale et il est maintenant quadriplégique pour le restant de ses jours.

Je me rappelle avoir discuté de ce drame avec le docteur Picotte, qui m'a dit qu'il y a toujours un prix à payer pour la liberté.

Je lui ai répondu qu'il y a de plus en plus de gens qui payent le prix de mauvaises décisions.

Pour ce qui est des malades psychiatriques, je ne crois pas qu'il suffise de leur remettre un chèque au début de chaque mois pour compenser la fermeture des lits qui leur étaient destinés. Sur le plan social, nous devons aussi prendre les moyens de bien les encadrer, et ce, de façon continue. Sur le plan médical, nous devons créer des centres de soutien en cas de crise ou d'urgence, ce qui nous permettra d'éviter de nombreux drames humains.

Guy, le travailleur social, arrive pendant que je finis de rédiger le dossier du jeune schizophrène.

— J'ai des nouvelles au sujet du vieux monsieur de quatre-vingt-sept ans, annonce-t-il.

— Ah oui? Que se passe-t-il?

— Imaginez donc : la famille est partie pour la Floride ce matin, pour une période de deux semaines!

— Encore un cas de *dumping* du temps des fêtes, dis-je.

— Eh oui! acquiesce Guy.

— Qu'est-ce qu'on fait?

— Il faut l'hospitaliser quelques jours, répond Guy. On n'a pas le choix. Le temps des fêtes, c'est une période difficile pour trouver une ressource. De plus, ce vieil homme est sourd et parkinsonien.

— Bon, bon, bon! C'est le docteur Picotte qui ne sera pas content. Allez, on l'hospitalise.

Ce phénomène de *dumping*, fréquent pendant les vacances de Noël et d'été, touche les jeunes enfants et les gens âgés, c'est-à-dire ceux qui se trouvent aux antipodes de la vie.

Les raisons sont multiples, mais rarement justifiables. En ce qui concerne les jeunes enfants, les causes d'hospitalisation sont souvent corrigées après quelques heures : ainsi, les problèmes alimentaires, les asthmes incontrôlables ou les pleurs impossibles à arrêter à la maison sont rapidement contrôlés à l'hôpital; mais souvent les parents abandonnent littéralement l'enfant à l'hôpital pendant quelques jours. Par ailleurs, si nous craignons de la part de la mère une explosion d'impatience qui risque de dégénérer en agressivité envers l'enfant comme dans le cas de la petite Marie-Soleil, nous n'hésitons pas à garder l'enfant, car celui-ci est prioritaire pour nous.

Quant au vieillard en perte d'autonomie, habituellement il nous est envoyé en ambulance, vêtu d'un pyjama, et avec une valise contenant quelques effets personnels tels qu'un rasoir électrique et une petite radio. Pas le moindre signe de sa famille, mais le vieillard est laissé dans un corridor pour qu'on prenne soin de lui. Et, généralement, ce sont les mêmes familles qui, après deux semaines complètes d'absence, se plaignent du personnel et sont outrées par certains détails, par exemple qu'on n'ait pas rasé la barbe de leur père, que la nourriture soit servie tiède, que personne n'ait lavé le pyjama du patriarche et que celui-ci ne soit plus vêtu que d'une chemise bleue d'hôpital. Ces familles s'offusquent aussi de ce que le médecin ne passe pas assez souvent et qu'il ne donne pas de nouvelles. On aurait tendance à croire que ce phénomène est typiquement lié à la pauvreté, mais c'est faux; le dernier cas d'abandon de vieillard qu'il m'ait été donné de voir est celui d'une vieille dame dont l'un des fils avait une industrie d'élevage de porcs qui lui rapportait des centaines de milliers de dollars par année.

C'est la vie! Nous prenons en charge les patients et libérons ainsi les familles, qui nous en remercient en déchargeant sur nous leur sentiment de culpabilité et leurs multiples frustrations. Ces familles sont toujours les premières à dire que le système de santé est pourri.

L'infirmière affectée au triage m'appelle soudainement.

— Docteur Patenaude, docteur Patenaude, venez vite dans la salle de choc!

— Qu'est-ce qui se passe?

— Vite, venez, il y a une jeune fille dans le coma.

Rapidement, nous nous dirigeons vers la salle de choc. La jeune fille, âgée d'environ quinze ans, est dans un état lamentable : elle respire difficilement, ses pupilles sont dilatées, elle n'est vêtue que d'un jean et d'un blouson de cuir noir, et sa blouse est déchirée. Son visage porte des ecchymoses, et elle avait probablement des boucles d'oreilles qui lui ont été arrachées, car ses lobes ne sont plus que des bouts de chair d'où ruissellent deux minces filets de sang.

Toute l'équipe s'affaire de façon méthodique et rapide; deux infirmières installent les cathéters veineux, on déshabille la jeune fille en coupant ses vêtements à l'aide de ciseaux afin de sauver de précieuses minutes. Je demande :

— Comment sont les signes vitaux?

— Le pouls est filant à 90, avec de nombreuses extrasystoles ventriculaires; la tension est à 80 sur 40, et la température est à 32 °C.

— Elle souffre d'hypothermie. Préparez des solutés lactates réchauffés, nous allons l'intuber.

Je fais une pause, prends une profonde inspiration. La situation est critique. Lorsque l'organisme est en hypothermie, des complications majeures telles que le collapsus cardiaque et des arythmies malignes irréversibles peuvent entraîner la mort.

En examinant la jeune fille, je remarque qu'elle porte des marques au pli des deux coudes, signe qu'elle s'injecte des drogues. Elle ne semble pas avoir subi d'autres sévices ou traumatismes.

— Quelle est l'histoire?

L'infirmière affectée au triage explique :

— La jeune fille a été découverte par deux sans-abri dans une ruelle située à deux pas de l'hôpital; elle était inconsciente dans la neige. Comme ils étaient tout près de l'hôpital, ils ont décidé de l'amener à l'urgence afin de sauver du temps. C'est tout ce que nous savons.

— A-t-elle des papiers d'identité?

— Non, rien.

— OK, on va l'intuber. Il faut la réchauffer le plus rapidement possible. Enveloppez-la dans des couvertures chaudes. On installe une sonde vésicale et un tube dans l'estomac, et on irrigue avec des solutés physiologiques réchauffés. Et avisez le pneumologue : nous aurons aussi besoin de réchauffer ses voies aériennes avec le respirateur.

Nous effectuons toutes ces interventions qui permettent de réchauffer la température corporelle. Rapidement, les signes vitaux de la jeune femme se stabilisent, mais elle demeure dans un état stuporeux et comateux.

Nous procédons également à des dosages sanguins afin de vérifier la présence de différentes drogues, puis la jeune fille est envoyée au scanner cérébral.

Pendant ce temps, je remplis le dossier et je discute du cas avec un policier enquêteur, un homme bedonnant d'une cinquantaine d'années, du genre bon père de famille.

Nous décidons d'aller ensemble voir les deux sans-abri qui ont amené la jeune femme et qui ont été installés dans une petite salle située au bout du corridor.

Dès que nous entrons dans la salle, nos narines sont envahies par une forte odeur, désagréable mélange de fromage Oka, de fond de tonneau de bière et d'urinoir mal lavé.

Les deux sans-abri sont assis. Ils sont dans un état d'hygiène lamentable, et ils ressemblent un peu à des hommes des cavernes, avec leur longue barbe et leurs cheveux emmêlés.

Je les reconnais immédiatement.

— Bonjour! C'est vous que j'ai vus hier dans le stationnement, n'est-ce pas? Vous avez un vieux chariot d'épicerie, c'est ça?

Ils me répondent par un signe de la tête. À la vue du policier, leur visage montre des signes de nervosité. Le petit répond, en bégayant fortement:

— Le pa... panier, on... on ne l'a pas vo... volé, on l'a tr... trou... trouvé.

Tout en prenant des notes dans un calepin, le policier les rassure:

— Non, ce n'est pas grave, ne vous inquiétez pas. On veut juste savoir ce qui s'est passé avec la jeune fille.

J'observe les deux hommes. Je n'ai aucune idée de l'âge qu'ils peuvent avoir: quelque part entre trente et cinquante-cinq ans, peut-être. Ils ont retiré leur vieux manteau. L'un des deux, le plus grand, a les doigts de la main gauche coupés juste au niveau des premières phalanges, ce qui donne à sa main l'apparence d'une palme de canard; il a perdu ses doigts à la suite d'engelures. On le surnomme « Manchot ». L'autre, le petit, a perdu un bout de pied, lui aussi à cause d'engelures, après qu'il eut passé une longue nuit dehors à -25 °C. Lui, on l'appelle « Boiteux ».

Le plus petit parle d'une voix tremblante en faisant de grands efforts pour articuler les mots, qui s'étirent sans fin à la sortie de sa bouche. Cette difficulté d'articulation est un symptôme lié de toute évidence à un syndrome nommé dyskinésie. La dyskinésie peut être une complication associée aux médicaments antipsychotiques donnés aux schizophrènes.

Avec toutes les difficultés du monde, il nous explique que Manchot et lui faisaient leur tournée habituelle des poubelles du quartier lorsqu'ils ont aperçu la jeune femme inconsciente derrière un gros conteneur de déchets situé près de l'hôpital.

Manchot étant le plus rapide, il a couru jusqu'à la rue principale pour alerter des passants. Il a réussi à arrêter une ambulance, mais les ambulanciers ne l'ont pas cru, ils ont dit qu'ils enverraient une autre équipe plus tard.

Manchot gesticulait et appelait au secours mais, parmi les centaines de passants, personne ne lui prêtait attention. En l'écoutant, j'ai l'impression de revivre la scène. Les passants avaient probablement peur; ils devaient se dire qu'il s'agissait d'un fou, d'un autre malade en plein délire qu'on aurait mieux fait d'enfermer.

Devant l'indifférence des passants, Manchot est revenu dans la ruelle, à bout de souffle. C'est alors que les deux hommes ont pris la décision d'emmener eux-mêmes la jeune femme à l'hôpital, car elle respirait de plus en plus difficilement. Ils l'ont soulevée, l'ont déposée sur le chariot d'épicerie et ils ont péniblement poussé le chariot dans la neige jusqu'à l'urgence.

— Voilà, c'est tout, dit Boiteux.

Le policier leur demande s'ils ont vu d'autres personnes. De la tête, ils font signe que non.

J'offre à Boiteux et à Manchot de prendre une douche et un repas. Ils refusent la douche, mais acceptent volontiers le repas.

Lorsque nous quittons la salle, le policier me dit :

— Ils ont l'air sincères; je ne crois pas que ce soit eux qui ont attaqué la jeune fille. Je vais faire inspecter les lieux de l'incident.

— En effet, ils me semblent inoffensifs; il n'y a chez eux aucune agressivité. Je pense plutôt que cette jeune femme leur doit la vie.

Nous croisons André, le préposé, à qui je demande de porter quatre plateaux de nourriture à nos deux invités. Je lui suggère aussi de vérifier si nous n'aurions pas des vêtements chauds à leur remettre. L'hôpital a une réserve de vêtements donnés par des organismes de charité.

De retour au poste, le policier fait des appels, pendant que je vais en radiologie pour avoir les résultats du scanner.

À mon arrivée, la jeune fille est couchée dans le tube de l'appareil qui explore son cerveau; un mince filet de lumière rouge indique, sur son front, la section qui est analysée à ce moment précis. Des coupes anatomiques apparaissent sur l'écran de l'ordinateur relié à la machine; on y voit le cerveau dans ses moindres recoins. Le radiologiste me dit:

— Sa matière grise est tout à fait normale.

Je le remercie et retourne à la salle d'urgence.

La jeune fille anonyme est sauvée. Sa pression, son rythme cardiaque et sa température corporelle sont redevenus normaux; cependant, elle demeure comateuse, ce qui est probablement dû à la surdose de drogue.

Au moment où je reviens au poste, le policier m'annonce qu'on a trouvé le sac à main de la jeune femme à plusieurs rues de l'endroit où elle a été découverte.

— À plus de un kilomètre de distance, précise-t-il. Donc, si on se fie aux traces laissées dans la neige par les sans-abri et leur chariot, impossible que ce soient eux qui aient commis le délit; de plus, ils sont bien trop lents pour avoir parcouru une si grande distance.

Il ajoute enfin avec fierté:

— Ce sont des héros, vos deux gars, docteur. Ils ont sûrement sauvé la vie de cette jeune fille, qui s'est fait sauvagement attaquer et voler.

Il m'apprend également qu'on a rejoint les parents de la victime, qui vont arriver sous peu, et que la jeune fille, prénommée Maïté, était en fugue depuis un mois.

Les résultats du dépistage de drogues montrent que le sang contient une grande quantité de barbituriques de type héroïne, ce qui explique l'état stuporeux de Maïté. Tous les autres paramètres étant normaux, elle devrait se réveiller d'ici quelques heures.

Je remplis le dossier, et nous transférons la jeune femme à l'unité des soins intensifs.

Et me voici de retour à l'urgence. Le policier est en train de discuter dans le corridor avec un couple de belle apparence d'environ quarante-cinq ans. La dame, d'allure distinguée, porte un manteau de fourrure; elle a les yeux rougis par des larmes qu'elle éponge avec un mouchoir de soie. L'homme a les tempes grisonnantes; il porte un long manteau entrouvert sur un costume bleu foncé; il manipule nerveusement un porte-clefs auquel est rattachée une commande de démarrage à distance portant le logo Lexus.

En m'approchant, j'entends l'homme dire :

— Ces maudits sans-abri, il y en a trop en ville; ce sont peut-être eux qui l'ont attaquée pour la voler.

— Non, non, répond le policier. Au contraire, ce sont ces deux hommes qui ont sauvé votre fille. Sans eux, elle serait morte gelée.

Au même moment, il m'aperçoit et ajoute :

— Voilà justement le docteur Patenaude; il va vous donner des nouvelles.

Je serre les mains des parents.

— Votre fille est hors de danger. Mais, effectivement, si elle avait passé quelques minutes de plus dans ce froid glacial, elle aurait eu des complications graves.

Le policier nous quitte, et j'accompagne les parents au chevet de Maïté, qui commence à reprendre conscience. Je dis aux parents :

— Nous avons trouvé des quantités importantes d'héroïne dans son sang; il faudra voir à ce qu'elle suive une cure de désintoxication.

La mère sanglote.

— Nous ferons tout ce qu'il faut.

Je repars en les laissant au chevet de leur fille.

Dans le corridor, le père m'appelle et vient vers moi d'un pas rapide.

— Docteur, docteur, attendez…

— Oui, qu'est-ce qu'il y a?

— J'aimerais rencontrer les deux sans-abri qui ont sauvé ma fille… Je voudrais les remercier et les récompenser.

— Oui, bien sûr, c'est une bonne idée. Ils sont dans une petite salle au bout du corridor. Venez, je vous accompagne.

Nous arrivons dans la salle. Il n'y a qu'André, qui s'affaire à nettoyer les lieux et qui met les vieux vêtements de Manchot et de Boiteux dans des sacs à ordures.

Je lui demande en souriant :

— Où sont passés nos invités d'honneur?

— Ça fait une grosse demi-heure qu'ils sont partis… Ils étaient affamés, ils ont englouti chacun deux bols de soupe, deux pointes de pizza et plusieurs rations de patates en purée. Ensuite, je les ai convaincus de prendre une bonne douche chaude et je leur ai trouvé des vêtements propres et chauds. Lorsque je suis revenu, ils étaient déjà partis.

— Savez-vous de quel côté ils sont allés? demande le père.

— Non, je n'en ai aucune idée. Mais peut-être qu'ils sont dans la salle d'attente ou à la sortie de l'urgence…

Le père, Nicole, l'infirmière, André et moi partons à la recherche des sauveurs, mais ils ne sont pas dans la salle d'attente.

D'un pas rapide, nous nous dirigeons alors vers l'extérieur. La neige tombe en gros flocons qui valsent tout doucement dans l'obscurité. Le long d'un petit mur, on distingue dans la neige les sillons laissés par les roulettes du chariot d'épicerie, et des traces de bottes de chaque côté des sillons; l'une d'elles forme une étrange rainure, comme une ride sur la neige.

Mais les traces se perdent rapidement sous l'accumulation de neige fraîche. Impossible de savoir quelle direction ont prise Manchot et Boiteux. Ils sont simplement repartis, quelque part dans l'obscurité de cette grande ville.

André dit:

— Nous ne les retrouverons jamais. Les sans-abri n'aiment pas les histoires avec la police. Ils vont sûrement changer de quartier, maintenant.

Le père nous remet alors sa carte professionnelle.

— Prenez ma carte. Si vous revoyez ces hommes, appelez-moi.

Puis il retourne au chevet de sa fille. Nous regardons la carte. Par une ironie du sort, l'homme est le gérant d'un des plus gros hôtels de Montréal.

André dit:

— Il faudrait vraiment retrouver nos gars: peut-être qu'ils pourraient obtenir une suite princière à l'hôtel pour une fin de semaine.

Je regarde la vapeur de ma respiration se noyer dans la nuit.

— Penses-tu que c'est ce qu'ils choisiraient? Au bout du compte, ça leur causerait sûrement plus de mal que de bonheur. Parce que le luxe, c'est bien beau, mais lorsqu'on retombe les pieds sur terre, on se sent encore plus démuni dans sa pauvreté.

Nicole s'exclame en riant:

— Docteur Patenaude, comme c'est beau ce que vous dites! On croirait entendre une des fables de Picotte... Bon, rentrons, sinon vous allez attraper une grippe d'homme, et je n'ai pas envie de vous entendre vous plaindre et pleurnicher pendant deux semaines!

Les sans-abri

— Autrefois, les itinérants étaient rares, mais il y avait les quêteux, qui mendiaient et échangeaient les vieux effets qu'ils recueillaient. Les quêteux avaient au moins un rôle social bien défini, celui de faire circuler les nouvelles de village en village ou de quartier en quartier.

— Vers les années cinquante, avec l'arrivée des clochards, ou robineux, leur image sociale bascule vers le négatif. Ces gens sont considérés comme dépendants, pauvres, marginaux et alcooliques. Cependant, à cette époque, le clochard n'est pas nécessairement un sans-abri; plusieurs résident dans des missions, des refuges et des maisons de chambres. Ils ont aussi de petits emplois journaliers comme laveurs de vaisselle ou distributeurs de circulaires.

— Chez les itinérants actuels, le taux d'emploi a radicalement chuté. On estime que plus de la moitié des itinérants ont eu un métier avant de se retrouver dans la rue.

— On compte environ quinze mille itinérants à Montréal, vingt-cinq mille à Toronto.

— La majorité des itinérants sont des hommes (quatre-vingt pour cent), et l'âge moyen est de quarante-trois ans.

— L'âge moyen des femmes est de trente-sept ans.

— Plus du tiers des itinérants, soit cinq mille personnes, seraient des jeunes âgés de moins de dix-huit ans, ce qui est récent comme phénomène.

— Quinze pour cent seraient âgés de plus de soixante ans.

— Plus de soixante-quinze pour cent des itinérants font usage de drogues ou d'alcool. Chez les jeunes, l'usage de la drogue est très important; chez eux, la toxicomanie dépasserait quatre-vingts pour cent.

— Selon une étude faite à Toronto, qui subit la même croissance que Montréal, plus de cinquante-deux pour cent des itinérants ont déjà souffert de dépression majeure.

— Plus de la moitié des itinérants souffrent de maladie mentale. (Personnellement, j'ai l'impression que ce chiffre est en deçà de la réalité.)

— Depuis la sortie en grand nombre des malades psychiatriques autrefois gardés dans les hôpitaux, la proportion de sans-abri ayant des problèmes de santé mentale a crû considérablement. Il semble que beaucoup de patients psychiatriques, lorsqu'ils sont sortis des hôpitaux, ont d'abord trouvé à se loger à prix modique, mais qu'ils ont été par la suite victimes d'évictions, ou de la revalorisation des centres-villes, où le coût des chambres a énormément augmenté.

Ces itinérants ayant des problèmes de santé mentale sont donc des cas plus lourds pour les différents intervenants sociaux et les refuges pour sans-abri.

— On estime que les trois quarts des sans-abri souffrent de maladies physiques, dont la majorité sont des problèmes du système circulatoire ou du système respiratoire. Dernièrement, on a constaté une augmentation du taux de maladies telles que la tuberculose et le sida. Il n'est pas rare non plus de voir des complications dues au froid, comme les engelures nécessitant des amputations, ou des cas de cécité découlant d'intoxications à l'alcool méthylique (alcool à brûler).

— La montée des nouvelles pauvretés fait en sorte que l'itinérant est déclassé sur le marché du logement subventionné et des programmes d'assistance. L'itinérant trouve difficilement son compte lorsqu'il est en compétition avec les demandes venant de ceux dont la « cote sociale » est plus élevée : personnes âgées, handicapés, familles monoparentales, par exemple.

— La situation des itinérants actuels est plus lourde et plus complexe qu'avant. L'alcoolisme n'y est plus le problème prédominant ; l'ont remplacé ou s'y sont ajoutés les problèmes de santé mentale et physique, la polytoxicomanie, la désorganisation sociale, la difficulté d'accéder à des programmes sociaux et le manque d'appartenance à des regroupements stables, voire même à la famille.

— En attendant des solutions efficaces et durables, le fait de donner un peu de monnaie à un itinérant ne réglera sûrement aucun problème ; cependant, on est certain que c'est lui qui en profitera et que la somme ne sera pas dépensée par une série d'intermédiaires, comme c'est trop souvent le cas dans certains organismes à but non lucratif qui dépensent des sommes astronomiques en publicité, communications et frais administratifs. La monnaie ne changera rien, mais elle permettra peut-être à ces sans-abri d'acheter une bière, un café ou, qui sait, une soupe aux étoiles…

Source : MERCIER, Céline, Louise FOURNIER et Guylaine RACINE. *L'Itinérance*, Montréal, Centre de recherche de l'hôpital Douglas.

Conclusion

Noël finit par arriver et, bien sûr, ce fut le fouillis total au service des urgences. Les malades s'empilèrent partout, et l'administration dut rouvrir les vingt-cinq lits préalablement fermés. Par contre, pour éponger les pertes financières, le bon docteur Picotte eut la brillante idée de fermer une salle d'opération puis il partit en vacances.

Cette fermeture retarda toutes les chirurgies semi-urgentes et même les cas d'urgence. Cela occasionna des frictions entre les différents spécialistes, car personne ne s'entendait sur la définition d'urgences chirurgicales.

Les médecins de garde à Noël durent donc se réunir pour en arriver à une entente, car il était impossible de joindre le docteur Picotte.

— C'est un peu normal, dit un des anesthésistes. Quand le bateau coule, les rongeurs sont les premiers à quitter le navire.

On convint de s'occuper d'abord des césariennes, puis des accidentés de la route et, tout à la fin, des appendicites, diverticulites et autres affections du même genre.

La bonne nouvelle fut que la jeune Maïté s'éveilla et qu'elle n'eut aucune séquelle de son hypothermie ni de sa surdose d'héroïne; ses parents, pour la première fois depuis plusieurs années, passèrent les fêtes avec elle, à son chevet à l'hôpital.

En ce qui me concerne, j'eus enfin droit au menu du temps des fêtes, et cette année fut marquée par une innovation : l'entrée était de la soupe « dinde et étoiles », accompagnée d'un beau sourire de la Française de la cafétéria !

À l'aube du troisième millénaire, j'espère que ces quelques histoires vécues par des êtres humains vous auront sensibilisés aux problèmes de notre société.

J'aimerais vous dire que j'ai imaginé ces récits, qu'ils sont des fictions, des histoires inventées ; mais non, cette réalité, ces drames se vivent chaque jour sur les routes, dans notre cour, sur nos trottoirs et dans nos ruelles.

À mon avis, les actions que notre société entreprend face à la pauvreté, à la misère, à la maladie, aux suicides, aux maladies mentales, à l'éducation de nos enfants, à l'itinérance, au vieillissement de la population sont trop souvent des actions symboliques, de la poudre aux yeux pour faire croire que tout va bien. On nous dit que tout est rétabli, que tout est « sous contrôle » ou que tout ira mieux dans quelque temps. Ces agissements se comparent aisément à la façon dont l'État gère nos forêts, faisait remarquer un journaliste à la suite de la sortie du film *L'Erreur boréale*. Les auteurs de ce film nous montrent que les forêts sont détruites sans que nous voyions le carnage, car des lisières d'arbres sont laissées le long des routes ; ainsi, nous avons l'impression que la forêt est en bonne santé, mais à l'intérieur, de l'autre côté de la lisière d'arbres, plus rien ne tient debout, c'est la dévastation.

Lorsqu'un individu dénonce ces faits, un ministre ou un sous-ministre a tôt fait de le rabrouer : « Chantage, exagération, démagogie », disent-ils.

Ces élus s'entourent d'ailleurs de fonctionnaires et d'experts en communication spécialisés dans la gestion des crises, qui entreprennent dès lors une guerre de chiffres et nous endorment avec des statistiques incompréhensibles. Ils sèment le doute dans notre esprit, et on finit par les croire, puis par oublier. Cette façon de faire est magique : la crise médiatique est étouffée, et la population croit que le problème est réglé… jusqu'à ce qu'éclate une autre crise.

Ainsi, on peut cacher les sans-abri et les pauvres dans les ruelles, empêcher les jeunes de laver les pare-brise, repousser les déficients mentaux et les malades psychiatriques dans les grandes villes; on peut aussi abandonner nos enfants et nos petits vieux à l'hôpital; on peut se convaincre que le suicide des adolescents, c'est la faute de la drogue, des films violents ou du système d'éducation; on peut se dire que la pauvreté ne touche que les paresseux ou, au contraire, qu'on est né pour un petit pain et qu'on n'y pourra jamais rien.

En somme, il est bien plus facile de se dire et de faire croire que tout va bien dans notre société, que notre système de santé s'améliore, que la pauvreté a diminué, que les jeunes sont plus heureux, que le chômage a régressé, que le coût de la vie est tout à fait acceptable et que la forêt est en parfaite santé, puisque les épinettes et les sapins poussent le long des routes.